静山社文庫

女40歳からの「不調」を感じたら読む本

カラダとココロの漢方医学

木村容子

はじめに

四〇歳を過ぎると、加齢による老化で心身がいろいろと変化していきます。みなさんにまずわかっていただきたいのは、こうした心身の変化に対するカラダの反応は、「健康だからこそ起きている」のであり、不定愁訴《しゅうそ》と呼ばれるさまざまな不快な症状でさえも、体内の変化によって生じる「正常な心身の反応」なのだ、ということです。

人は、とかく不快な症状に直面すると、「カラダに異常が起きているのでは?」「元の状態に戻そう」と考えやすいものです。鼻水が出て喉《のど》が痛いと、「風《か》邪《ぜ》のウイルスにやられたかもしれない」と、薬を飲んで、「鼻水や喉が痛くない、元の自分」に戻ろうとします。

しかし、四〇歳を過ぎて起こる「不調」、いわゆる更年期《こうねんき》症状は病気ではないので、わざわざ「これまでの元の自分」に戻そうと、あせる必要はありません。

むしろ、四〇歳からの心身の変化に対して、「どのように順応していったらいいのか」と前向きに考えるべきなのです。

「正常な反応」の代表的な例としては、

「毎朝、化粧をするのが、おっくうになってきた」

といった日常生活の些細《ささい》に思えることや、

「暑くもない電車内で、自分だけ突然首から上に汗が噴き出してきた。数分して汗が落ち着いたと思ったら、今度はゾクゾクと寒気がした」

といった身体的なものなど、いろいろあります。

いずれの状態も「これまでの自分」とは違うことなので、ショックだったり、落ち込んだりするかもしれません。しかし、病院で診察や検査をしてもうつ病や器質的な疾患《しっかん》といった問題がないようであれば、どちらも「体内変化に対する、心身の正常な反応」といえるのです。

ですから、それぞれの症状への私からのアドバイスとしては、

——毎朝完璧《かんぺき》に化粧をしようとするのではなく、たまには省略したり、発想を転換して「すっぴんでもキレイな肌」を目指すようにしてみてはどうでしょうか。

たり、ストールなどの羽織り物を持って外出するように気をつけてみましょう。

――体温調節がうまくいっていないので、すぐに脱ぎ着できるような服装にし

といったものになります。

四〇歳からの女性はだれもが、この「正常な心身の反応」である「不調」とつき合っていかなくてはいけません。そのため、「必ず化粧しなくては」「汗が出たことがショック」といった、「これまでの元の自分」を基準にした「戻そう（リセット）」とする考え方ではなく、不調がいま以上に悪化するようなことがないように、不調が少しでも軽減できるように、と「不調に上手に対処（コーピング）する」というつき合い方に変えていかなくてはいけません。不調とどうつき合うかによって、その後のみなさんの健康状態が左右されてしまう、といっても過言ではない、大事な時期でもあります。

また、原因不明の不調と向き合うだけでも大変なのに、病院に行ってもなかなか原因がわからない場合も少なくないでしょう。しかし、不安からいろいろな医療機関を訪ね歩く「ドクター・ショッピング（より安いものを買い求めてあちこちのスーパーマーケットなどを回る様子に似ていることから、こういわれていま

す)」をする前に、まずは、自分に見合った心身とのつき合い方を、この本で見つけてほしいと思います。

なお、これまで上梓《じょうし》させていただいた本は、おもに二〇代から三〇代の女性をターゲットにしたもの(『漢方で健康美人になる20の方法』)と、男性の更年期を含め成年男女を対象にした養生《ようじょう》について(『漢方の知恵でポジティブ・エイジング』)でした。今回は、「四〇歳からの女性」という、女性の一生においては非常に意義深い時期に焦点《しょうてん》をあてた本を、静山社の古屋信吾氏のご厚意で書く機会を与えていただきました。編集を担当していただきました松浦早苗さんには、読者の目線を含めましての多くのご指摘、ご教示をいただきました。心から御礼申し上げます。

また、私が勤めます東京女子医科大学東洋医学研究所の佐藤弘所長や、鍼灸臨床施設の吉川信先生はじめ、スタッフのみなさんの温かいご協力や励ましの言葉、そして私の家族の応援に、この場を借りて感謝いたします。

東京女子医科大学 東洋医学研究所 副所長　木村容子《きむらようこ》

40歳からの
カラダとココロの
不調チェック

40歳～55歳の不調を漢方の考え方をもとにチェックしてみましょう。

●まずSTEP 1のチェック1～3のあてはまるものに✓印をつけてください。チェック1～3は、それぞれ「気《き》の異常」「血《けつ》の異常」「水《すい》の異常」に特徴的なココロとカラダの不調です。✓印が多くついたものが今のあなたの不調のタイプ。2つ以上のタイプにまたがるのもこの年代の症状の特徴です（その場合は、両方のタイプを参照してください）。

●次にSTEP 2の、よりくわしいタイプ分けチェックに進んでください。ここではあなたのカラダが閉経までどれくらいの時期にいるのか、またはカラダの弱い部分がわかります。本文では、それぞれのタイプに応じて、「生活・食材・ツボ」の3つからなる“カラダとココロのコーピング術（対処術）”を説明しています。

STEP 1 あなたの不調は「気《き》」「血《けつ》」「水《すい》」どのタイプ?

●チェック1

□やる気が出ない
□何事もおっくうになる
□やたらに涙もろい
□気分にムラがある
□冷えやのぼせを感じる
□突然、頭痛におそわれる
□突然ドキドキと動悸《どうき》がする
□ちょっとしたことでイライラする
□食事の量が減ってきた
□胃もたれしなかった食べ物でもしやすくなる
□日中、強い眠気におそわれる
□無理していないのにだるい
□性的な衝動《しょうどう》を感じない
□風邪《かぜ》をひきやすく、治りにくい
□肌《はだ》のたるみが目立ってきた

●チェック2

□肩こりがひどい
□月経痛がひどくなった
□月経のときにレバーペースト状のかたまりが出る
□目の下にクマができる
□肌のくすみが気になる
□便秘しやすくなった
□肌荒れや化粧かぶれが起こりやすい
□肌が乾燥する

□目が乾きやすい
□夜、睡眠中に途中で目が覚める
□記憶力が低下している
□月経の血量が少なくなった
□月経が不順になる
□髪の毛が抜けやすい
□膣《ちつ》が乾燥する

●チェック3
□日によって指輪がきつい
□水分をとった翌朝は目が腫《は》れる
□下半身が特にむくむ
□カラダや頭が重い感じがする
□関節が痛い
□手足がしびれる
□ぐるぐると回転するようなめまいがする
□乗り物酔いしやすくなった
□お腹でポチャポチャと音がする
□鼻水が出やすい
□下痢《げり》しやすい
□喉《のど》が渇きやすい
□吐き気を覚えやすい
□夜中に尿意をもよおすことが多い
□腰が重い

●チェック1が多かったあなた
→**「気の異常」タイプ**です。次はp10～のSTEP2へ
●チェック2が多かったあなた
→**「血の異常」タイプ**です。次はp13～のSTEP2へ
●チェック3が多かったあなた
→**「水の異常」タイプ**です。次はp15～のSTEP2へ

STEP 2 「気の異常」タイプのあなたのカラダ年齢は？

●チェック４

□夫の行動が、箸《はし》の上げ下ろしから何から何まで嫌になる
□楽しいことの後の落ち込みがひどい
□何から何まで不安で仕方がない
□クヨクヨ、憂うつ、うつうつした気分を覚える
□涙もろい（たとえば、ドラマを見ているとすぐに涙ぐんでしまう）
□何に対しても意欲がわかない
□息が十分吸い込めない感じがする
□喉《のど》や胸に何か引っかかっている感じがする
□寝つきが悪く、夜中でも眠くならない
□一人で食事をするのが嫌でたまらない
□外出するのが面倒になる
□メモをしたり、細かい計算が面倒くさい
□電話が鳴っても出たくない
□買い物に行くのがつらい
□毎食の料理をするのがおっくう
□歯を磨くのがおっくう
□夜、お風呂に入るのがおっくう
□化粧したり、クレンジングしたりするのがおっくう
□頭がカーッと熱くなる
□顔はのぼせるのに、足が冷える
□突然、頭が痛くなる
□いつもは怒らない些細《ささい》なことにイライラして、身内に当たる

□急に心臓がバクバクする
□電車に乗ったら一人だけ首から上に突然汗が噴き出した。数分したら今度はゾクゾク寒気がした
□朝、起き上がる気力がない

●チェック5

□１年のうち調子が悪い時期が長くなった（たとえば、これまで冬だけ調子が悪かったが、冬場を過ぎて５月まで調子が悪い）
□月経時だけつらかったカラダが、月経時以外でもつらい（疲れやすく、いつもだるいなど）
□少し動いただけですぐ疲れてしまう
□階段を少し上がっただけで息が切れる
□これまで簡単に持てた買い物の荷物が重く感じられ、腰が疲れる
□眠気が強くて、他人と話していても意識が遠くなって寝てしまうことがある
□夕食後に短時間だけ仮眠をとろうと床《とこ》についたが、気づいたら朝になっていた
□夜、いったん眠くなったら我慢できず、夜更かしができなくなった
□横になりたいと感じることが多い
□最近、好きだった冷たい物を食べると腹痛や下痢《げり》になる
□辛《から》い料理を食べた後、胃に不快感を覚える
□脂《あぶら》っこいものが苦手になった
□いつも食べていた量が食べられなくなった
□温かい料理を食べてもカラダが温まらない
□寒さに極端に弱くなった
□風邪《かぜ》をすぐひくようになった
□風邪をいったんひくと治りにくい

□根《こん》を詰めるのがしんどい
□入浴してもカラダがなかなか温まらない
□入浴後、すぐにカラダが冷える
□肌《はだ》のたるみとシワが増えてきた
□耳鳴りがする
□疲れをとろうと長時間寝ようとしても、寝続けられない
□寝汗をかいて、夜中にシャツを何度も着替える
□性的な衝動《しょうどう》がほとんどない

●チェック4が多かったあなた
→カラダは**閉経準備期**です。くわしくは本文p137〜へ
●チェック5が多かったあなた
→カラダは**閉経直前・直後期**です。くわしくは本文p149〜へ

STEP 2 「血《けつ》の異常」タイプのあなたのカラダ年齢は？

●チェック6

□月経前に、いままで感じていなかっただるさや頭痛、下腹部痛を感じるようになった
□月経前に、いままで感じていただるさや頭痛、下腹部痛がひどくなった
□月経前に顔に吹き出物が出やすく、治りにくい
□排卵時期に下腹部の張りや鈍痛を感じることが多い
□月経時の痛みがどんどん重くなり、つらくなってきた
□経血に血のかたまりのようなもの（レバーペースト状）が混じっている
□月経周期が短くなった。たとえば、28日周期が24日になったり、1ヵ月で2、3回あることも
□月経時の経血量が多かったり少なかったりとムラがある
□経血の色が暗赤色である
□首のこりがつらい
□肩こりをもみほぐしても、すぐにまたこってしまう
□背中が鉄板を入れたような感じに硬く、痛い
□ぎっくり腰になりやすい
□寝不足でもないのに、目の下にクマができやすい
□肌《はだ》にシミやくすみが目立つようになった
□唇《くちびる》の色が暗紫色で、口紅を使わないと体調が悪く見える
□暖かい部屋に入ってもなかなか手足が温まらない
□ちょっとしたことですぐにアザができる
□一度できたアザが消えにくくなった
□以前は便通がスムーズだったが、便秘しやすくなった

●チェック7

□月経時の経血量が少なくなってきた
□月経時におむつを使いたいほど大量の出血があり、貧血になった
□月経周期が長くなった。たとえば、３ヵ月、４ヵ月おきにやってくるようになった
□パンティーが分泌《ぶんぴつ》液で汚れなくなった
□性交痛を感じる
□温水洗浄便座のビデがしみる
□目が乾き、かすみやすい
□肌の乾燥や、かさつき、かゆみが気になる
□顔の毛穴が目立ってきた
□指にブツブツができ、指紋が消えるほど指先が荒れて、夜も眠れないほど痛い
□皮《ひ》膚《ふ》が過敏に反応して、これまで使っていた化粧品が合わない
□爪《つめ》が割れやすい
□唇が乾燥してリップクリームが一年中手放せない
□保湿クリームをつけても以前より肌が乾燥して、シワができやすい
□貧血ぎみ
□髪の毛が抜けやすく、白髪も多くなった
□集中力がつづかない
□予定や予約の日時を間違える、忘れる
□ど忘れや聞き間違いが多い
□目覚ましが鳴る前に目が覚めることが多い

●チェック6が多かったあなた
→カラダは**閉経準備期**です。くわしくは本文ｐ87〜へ
●チェック7が多かったあなた
→カラダは**閉経直前・直後期**です。くわしくは本文ｐ100〜へ

STEP 2 「水《すい》の異常」タイプのあなたのカラダの弱点は？

●チェック8

□起床時、顔に枕カバーのシワの跡がよくついている
□夜、水分を多くとると翌朝顔がむくんだり、目が腫《は》れやすい
□普段はいている靴がきつく感じられることが多い
□靴下の跡が一日中ついている
□指の関節が痛い、こわばる
□歩くと股《こ》関節が痛い
□じっとしていても手足がビリビリと痛い
□正座をしていたわけでもないのに足がしびれる
□カラダ全体が重い感じがする
□頭が重い感じがする
□腰が重かったり、痛くなることが多い
□下半身が重く感じるようになった
□道を歩いていてもフワフワとした感じがする
□フワッとした立ちくらみが起きる
□天井が回転している感じがする
□めまいがしてベッドから起き上がれない
□トイレに行く回数が増えた
□トイレに行くのを我慢《がまん》できない
□夜中にトイレに行きたくなって起きる
□尿《にょう》漏《も》れする
□胃がムカムカして、嘔吐《おうと》しやすい
□飲み物を飲むと胃のあたりが張った感じがする
□暖かい所から寒い所に移動するとサラサラとした鼻水が出る

□軟便や下痢《げり》になりやすい
□特に汗をかいていないのに、１日２リットル以上の水分をとる

●チェック８のタイプのあなた
→**胃腸ケア**と**冷えケア**を心がけてください。くわしくは本文p 172〜へ

◎目次

第二章　「月経が変わってきた⁉」と思ったら
――「血」にかかわるカラダとココロの変化

第四章 「むくみがひどい」と思ったら
――「水」にかかわるカラダとココロの変化

第五章　女五六歳からの先手必勝ケア

第六章 マイナス七歳に見える一五の〝健美力〟向上法

女40歳からの「不調」を感じたら読む本

カラダとココロの漢方医学

序　章　女四〇歳からのカラダは大混乱

四〇歳からの悩み「更年期《こうねんき》がこわい」

四〇歳は、中国の思想家、孔子《こうし》が書いた『論語《ろんご》』で「不惑《ふわく》」と表現されています。しかし、みなさんの体調については、「三〇代までと、何か違う感じ」と、少なからず戸《と》惑《まど》いを覚えてはいませんか。

たとえば、「何事もおっくうに感じる」「暑くもないに汗が噴き出て、直後には寒気がする」「月経周期が以前より短くなった」——といった症状です。

四〇歳の足音を聞くと、この「何か違う感じ」が徐々にあらわれ、時を経《へ》るごとに、その不調ともいえる違和感が多様に、また頻繁《ひんぱん》になっていきます。

こうした過程は「更年期《こうねんき》」として、みなさんも聞いたことがあると思いますが、この「更年期」という言葉自体が不調の原因になってしまうこともあるのです。

「更年期という言葉を聞くと、恐怖感さえ覚えます」

四〇歳をちょっと過ぎた独身の女性患者さんは、職場の八歳上の女性が、更年期障害がひどく、会社を頻繁に休み、最終的には辞めざるをえなかったことを目《ま》の当たりにし、「私も更年期になって症状がひどかったらどうしよう」と、不安で仕方がありませんでした。

更年期にはまだ早い彼女は、通勤途中の電車のなかでちょっと汗が出てきたり、疲れたときにめまいがあったときに、先輩女性の姿を自分の身に置き換え、「自分ももう更年期で、これからどんどんいろいろな症状が出てくるのではないか」と恐怖感を覚え、将来への漠然《ばくぜん》とした不安によって体調を崩していました。

彼女は、自宅近くの病院で検査をしましたが更年期にみられるホルモン値の異常がなかったために、私が勤める、西洋医学と漢方医学の両方で診療しているクリニック（東京女子医科大学東洋医学研究所）を訪れました。

私が診察しているなかでも、このケースのように、更年期にはまだ早い年代の女性が、三〇代とは違う体調の変化を経験した際に「更年期ではないか」とおのの き、まだ見ぬ「更年期」への不安が理由で、よけいに体調を崩してしまっている例が少なくありません。

私はかねてから、四〇歳以上の女性がこうした不安を覚えることについて、「取り越し苦労にすぎない」と片づけてしまえるほど簡単だとは思えませんでした。

彼女のように、「更年期」に対して必要以上に身構えたり、過剰に敏感になる理由の一つは、近未来の自分の心身にどのようなことが起きるのか、という予備知識や具体像がつかみ切れていないせいではないか、と思いいたりました。

「更年期」とは、英語の「menopause《メノポーズ》」を翻訳したもので、語源は「月のもの（月経）がなくなる」ということです。

更年期は、成熟期から老年期へと移行する時期で、日本産科婦人科学会では「閉経の前後五年間」と定義しています。閉経とは、月経が一年以上こなくなることです。だいたい五〇歳が閉経の平均年齢といわれていますから、「更年期＝四五歳から五五歳くらいまで」となります。

この約一〇年間に女性の体内ではどんな変化が起こっているのでしょうか。くわしくは後述しますが、健康状態を左右する重要な役割をするエストロゲン（卵《らん》胞《ぽう》ホルモン）という女性ホルモンの分泌《ぶんぴつ》量が加齢によって徐々に減っていくなど、それまでの人生で体験したことがないような大きな変化がいろいろと体内で起きています。初めて月経になったときとは比べものにならないほどの大変化です。その結果、心身に違和感を覚えたり、不調をきたします。

そして、この時期にあらわれる多種多様な症状のなかで、「器質的変化に起因しない症状を『更年期症状』と呼び、これらの症状のなかで日常生活に支障をきたす病態を『更年期障害』とする」と、前出の学会では定義しています。

つまり、「更年期障害」とは、甲状腺《こうじょうせん》ホルモンの機能異常などの病気がない状態で、閉経前後の約一〇年間におとずれるさまざまな不調な症状が、毎日暮らしていくのが難しいほどつらい場合をいい、更年期といわれる年代の女性の「だれもが更年期障害になるわけではない」のです。

一方、多くの人が経験する「更年期症状」の典型的なものとしては、カラダがコレステロールをため込みやすくなり、太りやすくなるほか、冷えやのぼせ・ほてり（ホットフラッシュ）、動悸《どうき》、息切れ、めまいといった身体的な症状のほか、イライラや倦怠《けんたい》感、憂うつ、不眠などの精神的なものもあります。「不定愁訴《しゅうそ》」と呼ばれるほど、多種多様な症状が日によっていろいろとあらわれるので、これはこれで軽視できない不快さです。

これらの症状を意識しながらも、実際に病院に行かなくてはならないほどの更年期障害がある人は、更年期の全体女性のうちの約三割程度で、特に更年期障害が強く出る人は、その人が置かれている環境やもともとの性格が影響するといわれています。更年期症状はもとより、更年期障害という病気にならないための方法については、第一章でくわしく触れていますので、参考にしてください。

不定愁訴とは？

更年期に関する本が多数出版され、また新聞や雑誌、テレビでも、更年期の過ごし方などについての特集が組まれることが多いにもかかわらず、更年期への恐怖心を覚える女性は後を絶ちません。

女性が更年期に対して怖さを覚えてしまうことは、この時期に生じる不調が「不定愁訴」と呼ばれていることからも推《お》しはかることができます。前述の「更年期症状の典型的なもの（太りやすくなったり、冷えとのぼせというまったく逆の症状を同時に訴えたり、動悸や息切れ、めまい、イライラ、倦怠感、憂うつ、不眠など）」が日々変わる（不定）と訴え（愁訴）、また症状の種類も人によってさまざまなため、他人の例を見聞きしても、必ずしも自分にぴったりとあてはまるとは限らないことが多々あります。その結果、「一〇〇人の一〇〇例を知っても、まだ不安」になってしまいがちなのです。

そこで、本書では、更年期がブラックボックスと化して不安が生じないように、四〇歳からのココロとカラダが、①どのように変化して、②どんな症状としてあらわれ、さらには、③そうした変化や症状に対して、どう対処していけばいいのか――といったコーピング術（対処術）を、できるだけ具体的に、しかも類型化しながら記《しる》していきます。

私の診察経験では、更年期の真っ只中にいる一〇〇人の女性が一〇〇通りの更年期症状をもっているように見えても、じつはさまざまな症状の原因の類型化が可能です。さらに、症状の原因に沿った、生活習慣の改善や食べ物の選択、ツボ押しといった適切なケア（養生《ようじょう》）をおこなうことで、閉経の時期を先延ばしする（＝老化を遅らせる）ことも不可能ではないのです。

閉経を軸に「四〇歳～五五歳」の変化をとらえる

四〇歳からの女性の心身にとっては大事なイベント「閉経」ですが、どんなことが実際に起こるのか、わからない人が多いのも事実です。初潮については、学校の保健体育の授業などで取り上げられますが、閉経については「来るのはわかっているが、なってみないと何が起こるかわからない」といった状況です。

そこで、一つの試みとして、四〇歳から更年期が終わる五五歳ごろまでを、「閉経」を軸にして、生じる特徴的な体調の変化や不調、症状をもとに、次の三つの期間に分けてみました。ただ、症状には個人差があるので、年齢の区分はあくまでも目安だと考えてください。

閉経準備期――閉経にはまだ時間があるが、閉経に向けた心身の変化が生じはじめる時期。年齢の目安としては、更年期にさしかかる前の「プレ更年期（三〇代後半～四〇代半ば）」後半あたりとなる、四〇歳～四五歳くらいまでです。

閉経直前期――そろそろ閉経が近づいてくる時期。だいたい四六歳～五〇歳前後です。

閉経直後期――閉経直後の、閉経にともなう変化に心身が慣れつつある時期。

本書では、五〇歳前後～五五歳までと設定しています。

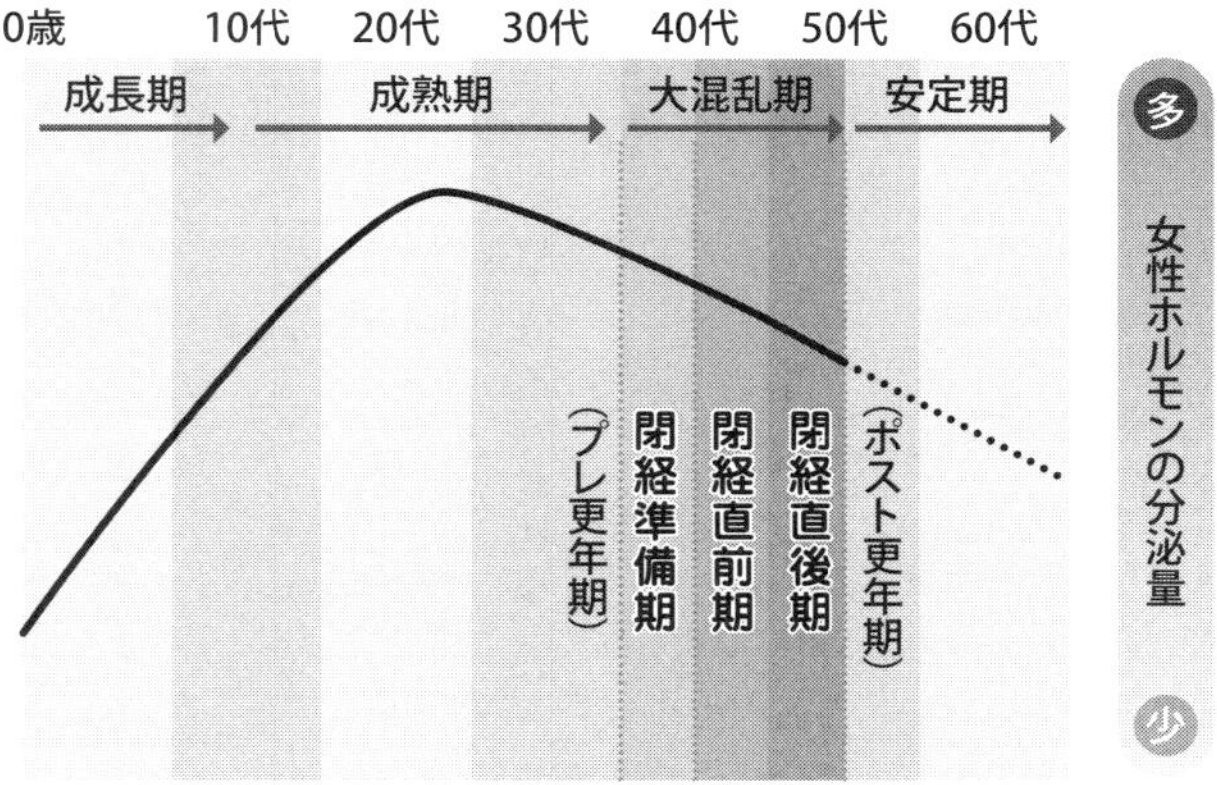

40歳〜55歳の3つの時期

この三つの期間には、医学的にみるとそれぞれに特徴的な症状があります。そしてその症状は、たまに感じていたものが頻繁になったり、程度が軽かったものが重くなったりしながら、徐々に次の期間へと移行していきます。

本書では、みなさんが日常でケアしやすいことを前提に、説明にあたっては、「閉経準備期」と、閉経直前期と閉経直後期を一緒にした「閉経直前・直後期」の二つに大別しています。第二章〜第四章のなかで例示してある症状のうち、みなさんがいま感じている不調がどの期間にあてはまっているのかを知ることで、閉経とのつき合い方も変わってくることでしょう。たとえば、閉経準備期に含まれる症状が多い方なら、いまその期間に適するケアをおこなうことで、閉経直前期へ移行する時期を遅らせることが期待できます。

閉経直前・直後期にあてはまる症状が多い方でまだ月経がある場合なら、適切なケアによって、閉経自体を先延ばしにしたり、スムーズに閉経を迎える準備や、閉経直後の不調を軽減させることができ、閉経という一大イベントにともなう乱気流に対して軟着陸させることにつながります。

閉経直後期を過ぎると、「ポスト更年期」に移行します。第五章で記しているこの期間は、基本的には心身が落ち着きを取り戻すようになります。

充実した高齢期を迎えるためには「四〇歳以上の閉経準備期からポスト更年期までのあいだに、どれくらい適切なケアをしてきたか」によるところが大きいのです。

「何歳か」よりも「どんな症状か」が大事

西洋と東洋の両方の医学で治療している身としては、「更年期」という時期を特定する言葉が、じつはみなさんにとって、ある種のストレスになっているのではないか、という危惧《きぐ》があります。

つまり、四〇歳を過ぎて、世間で「更年期」と定義される年代に近づくことで、「これまでの自分とは違ってしまうのでは⁉」と先読みし、自分自身を追い込んでしまう危険性もあるのではないか、ということです。

私が専門としている漢方医学（中国医学から発展した日本独自の医学体系）では、もともと「更年期」のように、年齢を一定期間で区切るような定義の仕方はありません。漢方では、患者さんを診察する場合、年齢や性別よりも、「個人」を重視します。

たとえば、二人の患者さんがいずれも五〇歳の女性で、しかも「不眠」を訴えて来院したとしても、年齢や性別、訴えが同じだからといって、同じ処方になるとは限りません。それぞれの特徴（身長や体重といった身体的なことから、疲れやすい、風邪《かぜ》をひきやすい、胃もたれしやすいなどの体質や症状、未婚や既婚、仕事の有無など環境・社会的なことなど）に応じて、まったく異なる処方になることもあります。

更年期症状についても同じことがいえます。

たとえば、二人の五五歳の女性の場合。二人とも、すでに閉経していて、同じ更年期の後期の年代であったとしても、一人は四二歳から月経の周期が長く出血量も少なくなり、四七歳で閉経。その過程で、動悸や不眠など不快な症状が継続的に強く出ていたのに対し、もう一人は、ほとんど不快な症状もなく閉経の五三歳まで過ごした、という違いがあるように、個人差が大きいものです。

この本では、個人差を重視する漢方の特徴を生かして、「更年期」という時期や年齢よりも、四〇歳から生じるみなさんの症状自体に重きをおきました。前述の三つの期間分類（「閉経準備期」「閉経直前期」「閉経直後期」）をもとに二つに大別した対処法の説明にあたっても、年齢で分けるのではなく、症状を分類したうえでの区分となっています。読者のみなさんがイメージしやすいように、期間にあてはまる年齢層も示しましたが、これは、あくまでも目安にすぎません。

「更年期」年齢の四六歳であっても、すでに月経が一年近くなく、「閉経直前・直後期」にあてはまる症状が多い人もいれば、月経周期が短くなることがあるくらいで、ほかの症状も「閉経準備期」に属する項目が多いという人もいます。

症状に焦点《しょうてん》をあて、それぞれの症状の原因に基づいた対処法を示すことで、「更年期という言葉にまつわるストレス」を軽減していきたいと思います。

四〇歳からは病気も高リスク

ところで、私自身、「更年期」という言葉が一般的に使われるようになっていることで、逆に「困ったな」と思うことがあります。四〇歳を過ぎた女性が、「これまでとは違う」という感覚を覚えた際に、何から何まで「更年期だから」と片づけてしまいがちなことです。本当は病気になっていることが原因で、その症状があらわれている場合があるにもかかわらず、です。

たとえば、月経がくる予定ではない時期に出血する不正出血は、更年期に生じる女性ホルモンのバランスの乱れによって起きますが、子宮《しきゅう》ガンやポリープ、膣《ちつ》炎《えん》といった病気の可能性もあります。

また、更年期の不調な症状の代表例――突然汗をかいたり、動悸や息切れ、冷えやむくみが強いことも、甲状腺ホルモンの機能障害によっても起こりうるものです。この年代には、バセドウ病や橋本《はしもと》病といった甲状腺ホルモンに関連する病気も多くみられます。

更年期に該当する年代の女性は、子どもの受験や巣立ち、親の介護で忙しかったり、責任のある仕事を任されたり、近しい人の病気や死に直面したり――と、女性ホルモンのバランスの変化だけでなく、社会的・環境的な要因によっても体内環境が乱れがちです。

加齢による老化が顕著《けんちょ》になりだし、病気のリスクも高くなってくる時期です。ですから、健康診断や人間ドックを会社で義務づけられていない主婦の方々にも、意識的に受診してもらいたいものです。本書では、「更年期」という言葉にとらわれずに、病気へのケアも怠《おこた》らないでほしいという願いも込めて、四〇歳から生じやすい不調と、病気との関連についても触れるようにしました。

四〇歳からの女性が意識すべきは、「自分が更年期かどうか」という時期や、「〇〇歳だから、もう閉経する」といった年齢による決めつけではなく、実際に自分のカラダのなかで生じている体調の変化への気づきなのです。

第一章　女のカラダは七年ごとに変化する

二〇〇〇年前から確認されていた心身の変化

中国最古の医学書といわれる『黄帝内経《こうていだいけい》』は、約二〇〇〇年前に書かれたといわれています。原本は散逸《さんいつ》して現存していませんが、その後、何度か編纂《へんさん》され伝わっているなかで、人が生まれてから死ぬまでの一生の変化を、次のように説明しています。

まずは、一〇歳から三〇歳まで。

「一〇歳になると五臓《ごぞう》が発育して一定の丈夫さになる。血気《けつき》はよく働きめぐり、走り回るようになる。二〇歳になると、血気が盛んになりはじめ、肌《はだ》の調子もよく筋肉も発達し、行動がさらに鋭敏になり、歩くのが早い。三〇歳になると、五臓は強くなり、全身の肌や筋肉も堅固《けんご》になり、血気は充《み》ちて盛んになり、歩き方はおだやかで、落ち着き払って歩くことを好むようになる」

漢方の専門用語が多いので、わかりづらい部分があるかもしれませんが、人間の成長過程を示しているということは、感じ取っていただけることでしょう。ちなみに、「五臓」とは、漢方が考える内臓の基本となる、肝《かん》、心《しん》、脾《ひ》、肺《はい》、腎《じん》のことです。これに大腸、小腸、胆《たん》、胃、三焦《さんしょう》、膀胱《ぼうこう》の六腑《ろっぷ》を合わせたものを「五臓六腑」といいます。

そして四〇歳を過ぎると、明らかに「老化」が意識されはじめてきます。

「四〇歳になると、五臓六腑のすべてが健全で、これ以上成長しない程度となり、このころから肌が柔らかくなりはじめ、顔色のつやがしだいにおとろえ、毛髪が白くなりはじめ、血気が安定して盛んになってそれ以上発展できない段階に到達し、精力が充分には充ちてこないので、座ることを好むようになる。五〇歳になると、肝気《かんき》がおとろえはじめ、胆汁《たんじゅう》も減少するので、目がぼんやりかすみはじめる」

この年代は、西洋医学でいう「更年期」にちょうどあてはまります。四〇歳を過ぎるころから、老化がはじまることが古くから認識されていたというのは、興味深いことです。

さらに、その年代を過ぎると、老化から死への移行となります。

「六〇歳になると、心気がおとろえはじめ、いつも憂《うれ》え悲しみ、血気はすでにおとろえ、その働きもスムーズでなく、体が怠惰《たいだ》になるので、横になることを好むようになる。七〇歳になると、脾《ひ》の気が虚弱《きょじゃく》になり、皮膚《ひふ》は乾燥してカサカサになる。八〇歳になると、肺の気が衰弱し、言葉をしばしば間違える。九〇歳になると、腎気《じんき》が枯渇《こかつ》し、血気もなくなってしまう。一〇〇歳になると、五臓に貯蔵されていた気がすべてなくなってしまい、死んでしまう」

また同書には、寿命には個人差があることについても触れられています。長生きであることの要因としては、「五臓六腑が丈夫で、それぞれの機能が正常で、血脈《けつみゃく》はよく調和し、全身の気も正しくめぐっている」といった、心身のバランスのよい状態をあげています。一方で、バランスが悪い人は長生きできないとも述べています。

四〇歳からは、この「バランス」を調《ととの》えることが、生活のなかでの最重要課題となってきます。

女性の変化は「七の倍数」

『黄帝内経』の別の巻では、性差による心身の変化について触れています。女性の場合は、七歳ごとに節目を迎えることが記《しる》されています（ちなみに、男性の場

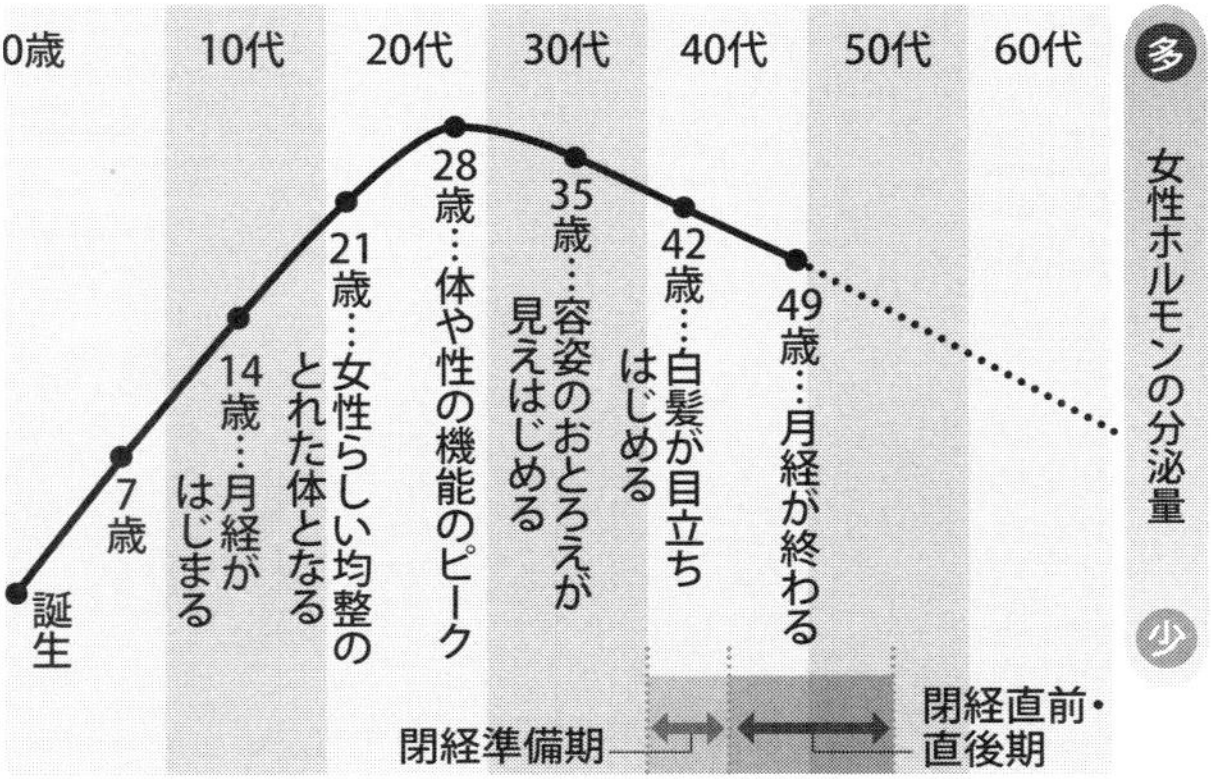

女性のカラダは7年ごとに変わる

合は、一生を八の倍数でとらえています)。

「女性は七歳にて、腎気盛んになり、歯が生えかわり、毛髪が伸びる。一四歳になると、月経がはじまり妊娠が可能になる。二一歳になると、腎気が充実し、智《ち》歯《し》(親知らず)が生えそろい、身長も伸びきる。二八歳になると、筋骨がたくましくなり、毛髪ももっとも長く、身体は盛壮《せいそう》となる。三五歳になると、陽明《ようめい》の脈《みゃく》がおとろえ、顔がやつれはじめ、脱毛がはじまる。四二歳になると、三陽《さんよう》の脈がおとろえ、顔のやつれは広がり、白髪が生えはじめる。四九歳になると、閉経し、老衰し子どもができなくなる」

月経の周期や肌の新陳代謝《しんちんたいしゃ》の周期は二八日（七の四倍）といわれていることなどを考えると、「七の倍数説」は、的を射た指摘といえるでしょう。また、閉経を四九歳としていることも、その後の調査で一般的な閉経時期は五〇歳前後といわれていることにもあてはまっています。

このように、昔から「心身は変化する」ことが前提となっているわけで、変化が生じている以上はなんらかの反応が起こることは当然のことといえます。ですから、その「反応」に対して、みなさんが、「恐れず、怯《ひる》まず、侮《あなど》らず」対処していけるよう、この本でお手伝いしたいと思っています。

なお、『黄帝内経』では、七の七倍である四九歳の記述で終わっています。その後は、大きな変化がみられないためかと思いますが、更年期を閉経前後の一〇年間と位置づけているように、閉経を迎えた後も老化にともなう変化はゆるやかにつづき、やがて体調は落ち着いていきます。

そこで、七の八倍の五六歳直前の五五歳は、ちょうど更年期が終わるころでもあるので、本書では五五歳までを「四〇歳からのカラダとココロが大きく変化する一つの区切り」として、この章から第四章までで説明します。さらに、閉経を経た五六歳からのカラダとココロについては、第五章にまとめました。

「陽《よう》から陰《いん》へ」「実《じつ》から虚《きょ》へ」

加齢による心身の変化、つまり老化には、大きく分けて二つの流れがあります。「陽《よう》から陰《いん》へ」の流れと、「実《じつ》から虚《きょ》へ」の流れです。

まず「陽から陰へ」とは、年齢を経るごとに、熱のある「陽」の状態から、冷えている「陰」の状態へと向かうことです。つまり、年をとると体温が低くなり、寒がりになるのです。

古代中国では、すべてのものが「陰」と「陽」の二つの要素で成り立っていると考えられていました。たとえば、暗いと明るい、湿っている状態と乾燥している状態といった具合です。カラダについていえば、カラダ全体またはカラダの一部の新陳代謝が低下した状態が「陰」、新陳代謝が活発な状態が「陽」になります。そして、老化によって、陰が陽よりも強くなっていくと考えます。

中高年の女性が防寒のために好んで着る下着のことを、「ババ（婆）シャツ」といいますね。「陽から陰へ」の流れは、男女ともに共通ですが、特に女性は、熱をつくり出す筋肉が少なく、もともと男性よりも冷えやすいこともあり、寒さへの感度が年齢とともに高くなっていくともいえます。

二つめの老化の特徴は、「筋肉質でがっちりしている」「積極的」「疲れにくい」「胃腸が丈夫」といったことが特徴の「実」の状態から、「痩《や》せ型で水太りしやすい」「消極的」「疲れやすい」「胃腸が弱い」といった「虚」の状態へと変化していくことです。

これはあくまでも傾向を示すもので、若いころから虚弱体質だった人は関係ないかというと、そうではなく、カラダがもともと弱かった人は、老化によって、もっと弱くなってしまうと考えてください。

中国の古典には、

「女性は虚になることで非常に冷えて、その冷えが体のなかに積もり、気（エネルギー）が滞《とどこお》り、いろいろな病気が起きる」

と記されています。つまり、女性は「虚」と「陰」の状態が一緒になって病気が起こりやすい、ということです。

四〇歳から五五歳までは、「陽から陰へ」「実から虚へ」の過渡期を経て、完全な「陰」と「虚」に向かう直前の時期になります。

なお、漢字のイメージから、「陰」や「虚」が、「陽」「実」と比べて「悪いもの」と感じてしまう方がいるかもしれませんが、これは「良し悪し」といった価値観の問題ではありません。そういう状態になっていく、という単なる事実として淡々ととらえてください。

漢方の老化の流れから見て、心身ともにとても大きな変化がカラダに起きている年代です。実際に、どんな変化が起きているのか、次項で具体的に説明します。

女性ホルモンの減少で不調が起きる

加齢によって臓器は老化し、機能がおとろえます。女性特有の臓器、卵巣《らんそう》も例外ではありません。卵巣の働きがおとろえ、卵巣から分泌《ぶんぴつ》している女性ホルモンの量が徐々に減ると、月経の周期が乱れ出します。

二八日前後の周期でめぐっていた月経の周期が短くなったり（頻発《ひんぱつ》月経）、逆に二カ月に一回、半年に一回と周期が長くなること（稀発《きはつ》月経）もあります。周期が短くなったことで、「若返ったのでは？」と勘違いする人もいますが、四〇歳からの頻発月経は、卵巣の機能が低下しはじめたことにより排卵が早まったことなどの原因で生じ、閉経を意識すべき兆《きざ》しであると覚えておいてください。

このように周期が不規則になりながら、やがて月経がこなくなります（閉経）。日本人の閉経の平均年齢は、四九・五プラスマイナス三・五歳で、中央値は五〇・五歳といわれています。

また、ホルモンも不調に影響を与えます。ホルモンとは、ギリシア語で「刺激する」という意味です。脳からの指令を伝える命令系統のうち、内分泌系《ないぶんぴつ》の命令を伝達する物質のことを指し、環境や体調の変化にカラダをうまく順応させる役割があります。

成長ホルモン、副腎皮質《ふくじんひしつ》ホルモンなど、現在わかっているだけでも七〇種類以上あり、なかには、エストロゲン（卵胞《らんぽう》ホルモン）とプロゲステロン（黄体《おうたい》ホルモン）という、女性特有のホルモンもあります。

ホルモンの働きは脳の視床下部《ししょうかぶ》というところでコントロールされているのですが、ときにはその働きが乱れることもあります。たとえば、過度のストレスを受けて女性ホルモンのバランスが崩れると、生理不順になったり、男性特有の身体現象であるヒゲがはえるといったことも起こります。

特に、四〇歳からの女性については、女性ホルモンのうち「女性らしさ」をつくるエストロゲンが加齢によって減少しだすと、まずは、汗をかきやすくなったり、冷えやのぼせ（ホットフラッシュ）、めまい、寒気、動悸《どうき》などの不調を訴えるようになります。これらは、自律神経という、自分の意志に関係なく、呼吸や心拍、循環、消化など、生命を維持するために必要な働きをもつ神経にかかわる不調です。

人間には「ホメオスタシス（恒常性維持機能《こうじょうせいいじ》）」という、カラダ自身が恒常性（バランス）を保つように働く仕組みがもともと備《そな》わっていて、ホルモンのバランスや自律神経の働きなども、ホメオスタシスによってコントロールされています。そして、ホルモンや自律神経の働きはお互いに影響を及ぼしあっています。このため、ホルモンバランスが崩れると前述のような自律神経にかかわる不調が起きることになります。

その後、倦怠《けんたい》感や不安、憂うつ、不眠といったココロに関係する症状があらわれます。さらに、骨量の減少や肌の乾燥、膣《ちつ》の乾燥や粘膜《ねんまく》の萎縮《いしゅく》などが徐々に進み、これらの症状は閉経後に顕著《けんちょ》になっていきます。

健康診断などで高脂血症（脂質異常症）あるいは高血圧、動脈硬化と診断されてしまうのも、エストロゲンの減少によるところが大きいのです。コレステロールをため込みやすくもなり、コレステロール値が高くなるだけでなく、太りやすくなります。

環境や性格も症状を左右する

この時期の不調のあらわれ方には、序章でも触れたように、個人差があります。不調を強く訴え、病院に行かなくてはならないほどつらい人がいる一方で、ほとんど不快な症状を感じないまま、閉経を迎える人もいます。

こうした個人差が生じる要因としては、一つにストレスがあげられます。ストレスが多いと、更年期症状が強く出やすく、さらには、更年期障害になりやすいといわれています。

四〇歳以上の世代は、子どもの受験や就職、独立、夫との関係や最近では夫のリストラ問題、義父母や自分の両親の病気や介護といった、自分だけでは解決できないさまざまな問題を抱えています。

また、自分自身のことについても、近所づき合いや友人関係、仕事をもつ女性であれば、仕事の責任やプレッシャー、職場の人間関係などに頭を悩ませることもあるでしょう。

こうした、環境要因と呼ばれるいろいろな問題がストレスになると、脳を通じて自律神経やホルモンにも影響を与え、カラダの変調につながります。また、環境要因には、普段の生活が不規則だったり、食生活の乱れ、あるいは過労や睡眠不足といったことも含まれ、要因が過度になると症状を重くすると考えられています。

さらに、よくいわれるのが、性格が与える影響です。医学的には気質要因といい、いわゆる几帳面《きちょうめん》で完璧《かんぺき》主義の人が更年期障害になりやすいとされています。反対に、もともとあまり物事を気にしない性質で、前向きな思考の人は症状が出にくい傾向があります。

もちろん、耐えられないほどつらい症状で悩んでいるときに、前向きに考えること自体、なかなか難しいものです。しかし、これは、「ニワトリが先か、卵が先か」の議論に似ていて、神経質だったり、自分を追い込むタイプの人だからこそ、症状がつらくなり、前向きになれずに、さらに症状を悪化させる――という、「負のスパイラル」になりがちです。

「もともと、そういう性格だから、仕方がない」などとは思わずに、このスパイラルを断ち切るためにも、完璧主義な人は「抜く」ことを覚えるなど、四〇歳からの不調を逆手にとって、自分自身を変えるきっかけにしてほしいと思います。

カラダとココロは一つ

漢方では、体内をめぐって流れている三つの要素「気《き》・血《けつ》・水《すい》」を重要視します。

「気」とは、空気などの酸素やガスだけでなく、元気、気合《きあい》、気力、根気などの言葉に使われているように、生命活動の源《みなもと》（エネルギー）を指します。さらに、気持ちや気分のような、ココロの状態も含めます。

「血」は西洋医学でいう血液のことで、「水」は血液以外のリンパ液、汗などの体液を意味します。

漢方では、「気・血・水」のそれぞれが互いに影響しあっていると考え、これらが十分にバランスよくカラダの隅々《すみずみ》までめぐっている状態を「健康」ととらえます。逆に、「気・血・水」の異常――バランスが崩れ、いずれか一つでもカラダのどこかで滞《とどこお》っていたり、不足していると、心身にさまざまな不調があらわれます。

「健康」とは、心身全体の調和がとれている状態のことです。カラダとココロは別々に存在しているわけではありません。カラダが弱っているためにココロが不調になることがあれば、ココロが弱っているがために、カラダが不調になることもあります。

たとえば、うつ病の患者さんは便秘で悩んでいる場合が多いものです。これは、思い悩んで脳の動きが鈍くなると、胃腸が活発に働かず、便秘になりやすくなるからです。

しかし、こうしたココロの不調による便秘の場合、下剤を使ったり、食物繊維をとっても、便秘がなかなか改善しないばかりか、うつうつとした気分もなかなか晴れません。他方、うつ病にだけ着目して、抗うつ剤で対処しても、便秘が改善されるものでもありません。

漢方では、まずは胃腸の働きをよくして、便秘症状を治すことから治療をはじめることがあります。このように漢方では、カラダとココロを包括的にとらえ、患者さんを全体像でとらえていきます。これを、「心身一如《しんしんいちにょ》」といいます。

みなさんが、四〇歳からの心身の不調を理解するにあたっても、この心身一如の考え方を基本に、不調を感じるカラダの部分部分に対して近視眼的にならないことが、四〇歳からの不調の特徴である、不定愁訴《しゅうそ》に惑《まど》わされないポイントの一つといえましょう。

四〇歳からは「こまめ」ケア

先ほど説明した老化の二つの流れでいうと、男女ともに、一般的に二〇代後半から三〇代前半にかけて「陽」と「実」のピークを迎えます。そして女性は三〇代後半からは「陽から陰へ」「実から虚へ」の過渡期に入ります。さらに、四〇歳から五五歳までは、徐々に完全な「陰」と「虚」に向かっていく過程といえ、ホルモンバランスの変化もあいまって、いろいろな不調を感じるようになります。

四〇歳以上の特徴としては、いったん不調になるとなかなか復調せず、長引く傾向にあることです。

たとえば、連続して週の半分は夜中まで起きていて、一日の睡眠時間が四、五時間程度だった場合。三〇代までは、週末にジムで汗をかいたり、普段より長く寝ることで、翌週に響くことはなかったのに対し、四〇歳を過ぎてからは、週末にジムに行く気力もないうえに、長時間寝ていても疲れを引きずりだるさが取れない、という経験はありませんか。

「寝だめ」ができるのも三〇代までなのです。ジムに行って汗を流すにも、たまった疲れを週末に寝るだけで取ることができるのにも、体力が必要です。

エネルギー・レベルが落ちている四〇代からは、蓄積されてしまった疲れを回復させるだけの、まとまった体力がなくなっていきます。「その日の疲れは、その日のうちに」を意識して「こまめ」なケア（養生《ようじょう》）をすることで、なるべく疲れをためないようにするのが、四〇歳から五五歳までのケアの基本的なポイントとなります。

「ツボ押し」で毎日メンテナンス

四〇歳からの「こまめ」ケアでは、なるべく「その日の不調は、その日のうちにリカバリー」することが大切です。自分でできる簡単なケアとして「ツボ押し」があります。

ツボとは、全身のエネルギーの通り道（経絡《けいらく》）の要所にあるポイントで、心身がバランスを崩していると経絡を通じてツボにあらわれます。

ツボを押すときは三段階くらいで徐々に力を強くして、五秒くらい「痛いけれど気持ちいい」程度の力で押します。その後、ふたたび三段階くらいで力を抜いていきジワーッと離します。これを五回くり返します。

道具も要らず、手軽にカラダのメンテナンスができるツボ押しを、ぜひ日常のなかに取り入れてみてください。私も、夜の入浴後のツボ押しを日課としています。ボディーローションを手にとり、リンパの流れに沿ってマッサージしながら、あわせてツボ押しをおこないます。血液の流れをよくするとともに、体内にたまった余分な水分や老廃物を排出することができます。

ツボ押しの応用編としては、押すほかに、ツボの位置をお灸《きゅう》やカイロ、シャワー、ドライヤーなどで温めるのも効果的です。

なお、第二章以降で、四〇歳からの不調のコーピング術（対処術）として、「ツボ押し」の活用についても触れています。

資料　ツボの位置の測り方

ツボの位置を測るときは、女性は右手を使います。

・指一本分＝親指の第一関節の横幅
・指二本分＝人さし指、中指の第一関節の横幅
・指三本分＝人さし指、中指、薬指の第一関節の横幅
・指四本分＝人さし指、中指、薬指の第二関節の横幅

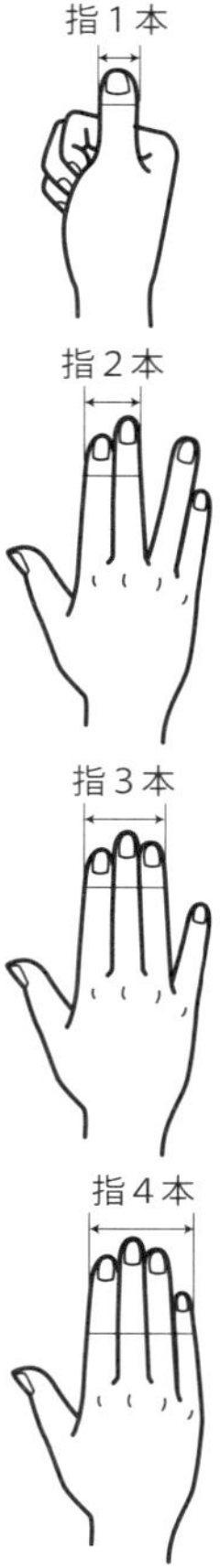

あなたの不調はどのタイプ?

最後に、四〇歳からの心身の不調を説明するにあたって、みなさんのカラダの状態がいまどのようになっているか、ここで簡単にチェックしてみましょう。

チェックリストは、体内をめぐる三要素「気・血・水」をもとに作成しました。これまで私が出している本のなかで掲載している「気・血・水」チェックリストは一般的なものですが、今回のものは、四〇歳から五五歳までの女性特有の症状に特化したリストとなっています。

「気・血・水」にある各項目は、序章で触れたように、閉経にはまだ時間があるときに生じる不調や、閉経直前にみられる症状、さらには閉経直後に起きること――の三分類を念頭にそれぞれあげています。

チェックの数がいちばん多かったものが、いまのあなたの不調のタイプです。複数のタイプにまたがっている方も多いかと思います。また、日によって、チェック項目が変動することもあるかと思います。それこそが、加齢によってカラダ全体のバランスが変化し、不定愁訴があらわれる四〇歳以上に特徴的な傾向です。

第二章から第四章では、タイプ別に、さらにくわしい症状とその原因、そしてコーピング術を説明しています。まずはもっともチェックが多かったタイプの章から読んで、いちばん気になる症状や不調を改善することからはじめてみてください。

四〇歳〜五五歳の「気《き》・血《けつ》・水《すい》」チェックリスト

「気の異常」タイプの不調チェックリスト

□やる気が出ない
□何事もおっくうになる
□やたらに涙もろい
□気分にムラがある
□冷えやのぼせを感じる
□突然、頭痛におそわれる
□突然ドキドキと動悸《どうき》がする
□ちょっとしたことでイライラする

□食事の量が減ってきた
□胃もたれしなかった食べ物でもしやすくなる
□日中、強い眠気におそわれる
□無理していないのにだるい
□性的な衝動《しょうどう》を感じない
□風邪《かぜ》をひきやすく、治りにくい
□肌《はだ》のたるみが目立ってきた
↓この項目のチェック数が多かった方は「気の異常」タイプです。第三章へ。

「血の異常」タイプの不調チェックリスト

□肩こりがひどい
□月経痛がひどくなった
□月経のときにレバーペースト状のかたまりが出る
□目の下にクマができる
□肌のくすみが気になる

□便秘しやすくなった
□肌荒れや化粧かぶれが起こりやすい
□肌が乾燥する
□目が乾きやすい
□夜、睡眠中に途中で目が覚める
□記憶力が低下している
□月経の血量が少なくなった
□月経が不順になる
□髪の毛が抜けやすい
□膣《ちつ》が乾燥する
↓この項目のチェック数が多かった方は「血の異常」タイプです。第二章へ。

「水の異常」タイプの不調チェックリスト

□日によって指輪がきつい
□水分をとった翌朝は目が腫《は》れる

□下半身が特にむくむ
□カラダや頭が重い感じがする
□関節が痛い
□手足がしびれる
□ぐるぐると回転するようなめまいがする
□乗り物酔いしやすくなった
□お腹でポチャポチャと音がする
□鼻水が出やすい
□下痢《げり》しやすい
□喉《のど》が渇きやすい
□吐き気を覚えやすい
□夜中に尿意をもよおすことが多い
□腰が重い

↓この項目のチェック数が多かった方は「水の異常」タイプです。第四章へ。

【付記】

この「四〇歳～五五歳の『気・血・水』チェックリスト」は、漢方の考え方をもとに、私が独自に作成しました。

一方で、西洋医学の分野では、更年期の診断にあたって、英国のクッパーマンによる「更年期障害指数」などが用いられ、不定愁訴の頻度《ひんど》、重症度を数値化してきました。本書では、一〇項目にしぼった小山嵩夫医師らによる「簡略更年期指数（ＳＭＩ）」を次に紹介します。これは自己採点で自分の更年期指数をチェックするものですので、参考にしてください。

また、日本産科婦人科学会の生殖・内分泌委員会では、現代の日本人女性の更年期障害の症状にあわせた「更年期スコア」を作成しました。これは、全体をまとめて数値化するのではなく、さまざまな症状の把握に重点を置き、医師が症状の程度を強・弱・無で評価します。

簡略更年期指数

症状の程度に応じ、強、中、弱、無で自己採点し、その合計点をもとに評価します。どれか一つの症状でも強く出ていれば、強と判断してください。

	強	中	弱	無
①顔がほてる	10	6	3	0
②汗をかきやすい	10	6	3	0
③腰や手足が冷えやすい	14	9	5	0
④息切れ、動悸がする	12	8	4	0
⑤寝つきが悪い、または眠りが浅い	14	9	5	0
⑥怒りやすく、すぐイライラする	12	8	4	0
⑦くよくよしたり、憂うつになることがある	7	5	3	0
⑧頭痛、めまい、吐き気がよくある	7	5	3	0
⑨疲れやすい	7	4	2	0
⑩肩こり、腰痛、手足の痛みがある	7	5	3	0

〈更年期指数の自己採点の評価法〉

0～25点＝上手に更年期を過ごしています。これまでの生活態度をつづけていいでしょう。

26～50点＝食事、運動などに注意をはらい、生活様式などにも無理をしないようにしましょう。

51～65点＝医師の診察を受け、生活指導、カウンセリング、薬物療法を受けたほうがいいでしょう。

66～80点＝長期間（半年以上）の計画的な治療が必要でしょう。

81～100点＝各科の精密検査を受け、更年期障害のみである場合は、専門医での長期の計画的な対応が必要でしょう。

第二章　「月経が変わってきた⁉」と思ったら

――「血」にかかわるカラダとココロの変化

閉経は人生の一大イベント

前章の「四〇歳〜五五歳の『気《き》・血《けつ》・水《すい》』チェックリスト」のうち、まずは「血」、いわゆる血液が関係する四〇代からの女性のカラダとココロの変化について説明します。チェックリストで、「血」にかかわる項目に多くのチェックがついた方は、この章から読んでみてください。

説明にあたっては、「気・血・水」の言葉の順番に沿って「気」からおこなうのが一般的ですが、四〇代からの女性にとっての最大の関心事は、「月経がいつ終わるか」といった閉経に関することなので、閉経にまつわる心身の変化に関係が深い「血」をまずは取り上げたいと思います。

「閉経」は、「初潮」とともに、女性の一生のなかでの大きな転換点の一つです。閉経自体は、けっして病気ではありません。しかし、約一〇年かけてホルモンバランスをはじめ、心身にいろいろな変化が生じていくわけですから、閉経前後の一〇年間は、「女性にとって非常に大切な時期」といえます。

心身に生じる変化を考えれば、「毎月あった月経がなくなる」ことによる心身への影響は、「月経がはじまる」ときの変化とは比べものにならないほど多種多様です。

その意味では、閉経は女性のカラダをめぐる一生のイベントとして、初潮よりも重要な位置づけにあるといえるでしょう。この時期の過ごし方がその後の人生や体調を左右するといっても、過言ではありません。

ちょうどこの時期は、西洋医学でいう「更年期《こうねんき》」にあたるため、序章で書いたように、「月のもの（月経）がなくなる」という、「閉経」を意味する英語「menopause《メノポーズ》」は、「更年期」とも訳されます。つまり、閉経は、更年期と同義に扱われるほど、密接な関係があるということです。

「私の閉経はいつ？」

「私の閉経がいつごろか、検査をすればわかりますか」

四〇代前後の患者さんから、こんな質問をたまに受けます。

閉経は、女性ならだれでも経験する自然現象です。医学的には、月経が一年間ない状態を確認することで「閉経」とみなします。子宮《しきゅう》摘出後など、月経からは判断できない場合には、卵胞《らんぽう》刺激ホルモン値が四〇mIU/mL（ミリ国際単位／ミリリットル）以上で、さら女性ホルモンのエストロゲン（卵胞ホルモン）の一種、エストラジオール値も二〇pg/mL（ピコグラム／ミリリットル）以下である場合、閉経したものと判断します。卵胞刺激ホルモン値の上昇は閉経の予兆《よちょう》にはなりますが、閉経の年齢を予想するのにはあまり役立ちません。

たしかに「いつ閉経になるか」があらかじめわかっていれば、日々の生活で先手の対処をすることも期待でき、少しは気が楽になることでしょう。

しかし残念ながら、医師であっても、みなさんの閉経時期を正確に予見することはできません。

わかっていることは、閉経に向けて、ホルモンの働きが落ちてくるなど、体内でいろいろな変化が生じ、それが「不定愁訴《しゅうそ》」といわれるようなさまざまな症状となって自覚できる、ということです。

そもそも月経とはどういう仕組みになっていて、その仕組みがどう変化して閉経となるのか、ということについて、まずは説明します。

卵巣《らんそう》も老化する

月経は卵胞期↓排卵↓黄体期《おうたいき》↓月経というサイクルになっています。女性は、卵巣《らんそう》という臓器のなかに、数十万個といわれるほどのたくさんの卵胞（卵子《らんし》のもと）をもって生まれてきます。卵胞は毎月一個ずつ、卵巣のなかで成熟していきます。

卵胞は、成熟する過程でエストロゲンを血液中に出し、精子《せいし》が子宮内に入りやすいように環境をととのえます（卵胞期）。

成熟した卵胞から卵子が排出され（排卵）、卵巣から飛び出します。

排卵後の卵胞は、組織変化を起こして黄色になるため黄体と呼ばれます。黄体は、少量のエストロゲンと、プロゲステロン（黄体ホルモン）という別の女性ホルモンを分泌し、プロゲステロンによって、子宮内は受精卵が育ちやすい環境にととのえられます（黄体期）。

排卵後、卵子はタイミングが合うと精子とであって受精します。この受精卵が子宮内膜《ないまく》に着床《ちゃくしょう》すると妊娠となります。

しかし、排卵後に受精が成立しないと、黄体はしぼんで白体となり、受精が不

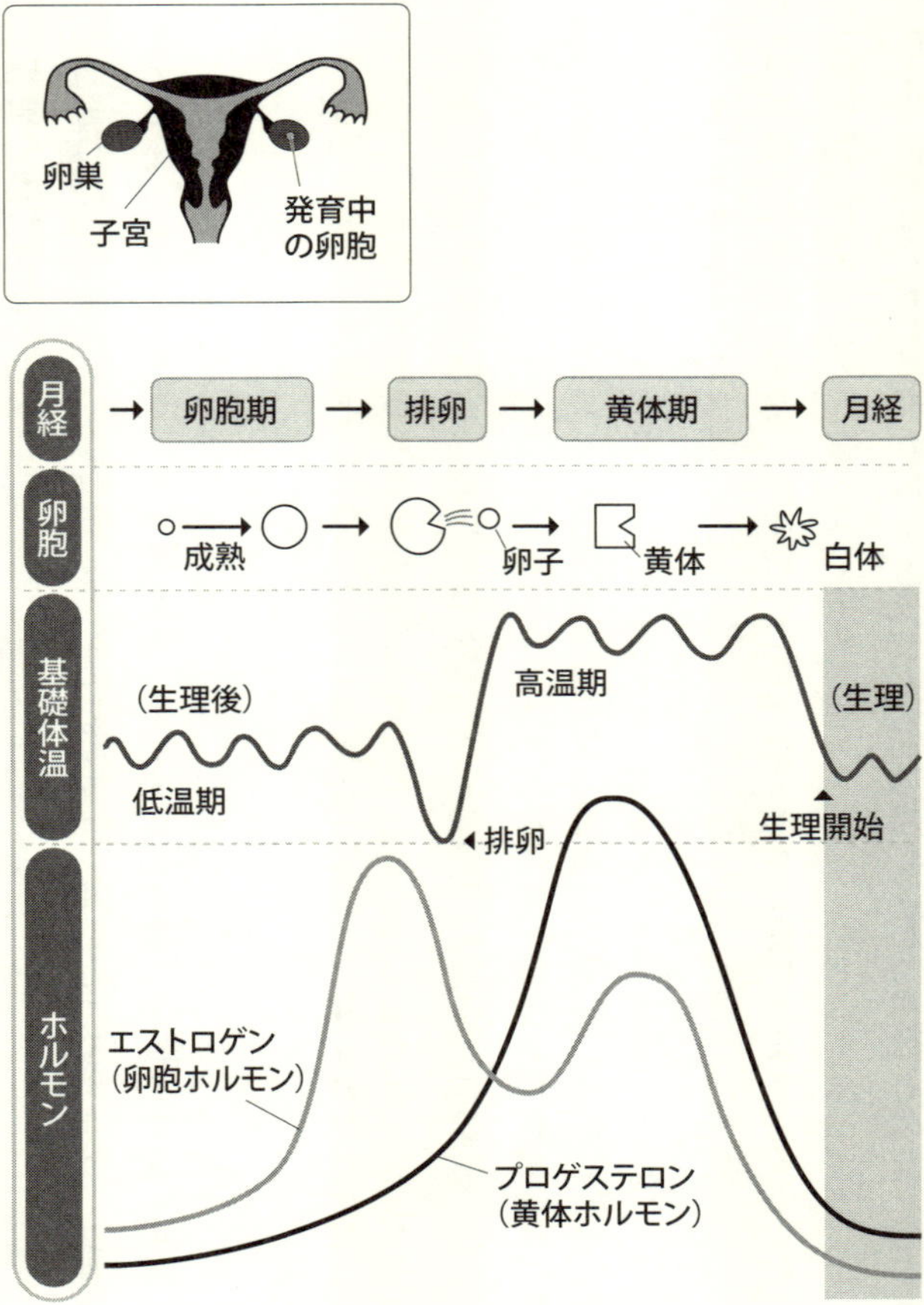
卵巣
子宮
発育中
の卵胞
月経
卵胞期
排卵
黄体期
月経
卵胞
成熟
卵子
黄体
白体
基礎体温
(生理後)
低温期
高温期
(生理)
排卵
生理開始
ホルモン
エストロゲン
(卵胞ホルモン)
プロゲステロン
(黄体ホルモン)

月経のサイクル

成立に終わったとの情報が脳から卵巣へと伝わり、プロゲステロンの分泌《ぶんぴつ》が止まります。排卵から約一四日後に子宮内膜がはがれて血液とともに排出されます。これが月経です。

月経がはじまると、その情報は脳に伝えられ、次の排卵に向けて、また別の卵胞が成熟していきます。こうして月経が、だいたい二八日から三五日の周期でくり返されているのです。

しかし、卵巣も臓器である以上、加齢とともに老化します。ある論文によると、「加齢にともない減少する卵胞数は、若年期の減少ペースを維持《いじ》すれば約八〇歳まで保たれると考えられるが、卵胞の残存が約二万五〇〇〇個、年齢的には三七歳から三八歳を過ぎたころから予測される速度を超えて急速に減少し、五〇歳でほぼ消失する」とあります。

また、卵胞の数は毎月の排卵でも減っています。こうして、加齢にともなう卵巣の機能低下や卵胞の数の減少によって、閉経がもたらされるのです。

周期が短くなってきたら

卵胞の数が減ると、どういうことが起きるのでしょうか。

まず、卵胞から血液中に分泌されているエストロゲンやプロゲステロンの量が少なくなります。この情報が脳に伝わると、脳からは「もっと卵胞を刺激しなさい」との指令が出ます。そのため、卵胞が過剰に刺激され、排卵が早く起きてしまいます。

さらに、プロゲステロンの分泌低下によって黄体期も短くなり、結果的に月経周期が短くなっていきます（頻発《ひんぱつ》月経）。

たとえば、月経周期が二八日（七日×四週）だった人が、二一日（七日×三週）くらいになることもあります。また、不意の出血を経験することもあるでしょう。ただ、この段階で、「自分は更年期かな」とは、なかなか気づきません。逆に、月経の間隔がせばまったことで、「若返ったのかしら」と思う人もいます。

しかし、これは卵巣の機能が低下したことの兆《きざ》しとして、一般的にまずあらわれる現象なのです。

やがて月経日数自体が短くなったり、少量の出血が長くつづいたり、全体の月経量が減ったり、逆に突然量が極端に増えて貧血症状になったりするなど、さまざまなタイプの月経不順があらわれてきます。

また、卵巣の老化により、卵胞の発育自体もだんだんと悪くなってきます。脳から、いくら卵巣を刺激して卵胞の発育をうながしたり、排卵をうながす指令を出しても、卵胞の反応が悪くなっていくと、やがて卵胞の発育に日数がかかり、月経の周期が長くなっていきます（稀発《きはつ》月経）。

さらに卵胞の数が減ったり機能が低下すると、卵巣を刺激しつづけても、とうとう卵胞は反応せず、やがて発育しなくなります。こうして月経が起こらなくなり、閉経にいたるのです。

みなさんが関心のある「閉経時期」についてですが、初潮の年齢が早いと、それだけ生まれながらの卵胞数を早くから減らしているから、閉経も早いのでは、と考えがちですが、初潮の年齢の早いか遅いかは、閉経の年齢に関係がないとされています。

なお、不正出血の裏に病気が隠れている可能性もあります。この章の最後「こんな病気に注意」という項目で、更年期による「血《けつ》の異常」にまつわる症状と間違いがちな病気についても説明していますので、参考にしてください。

一方で、最近では、閉経にはまだ早いと思われる、四〇代前半でも閉経となってしまう女性や、三〇代の「プレ更年期」といえる年代でも、閉経過程と似た症状が出ている人も増えています。

こうした閉経の低年齢化ともいえる現象の背景には、夜型の生活や食生活の乱れといったライフスタイルの変化や、ストレスなどの環境要因も原因として考えられます。

このように、卵巣が、その働きをコントロールしている脳からの指令に対応できなくなった結果、自律神経の働きが乱れるなど、さまざまな症状が心身に起こることになります。ほてりやのぼせといった不調が典型例です。

ただ、症状の種類や時期、つらさなどには個人差があり、実際にはほとんど生活に支障なく過ごしている人がいる一方で、日常生活を送ることが難しいほど不快感が強い人もいます。

ケア次第で閉経を先送り

漢方でも、加齢によってカラダが老化すると、「血《けつ》」が体内で滞《とどこお》り、必要なところにめぐらなくなると考えます。さらに、老化が進むと、「血」の量自体が少なくなり、体内のバランスが崩れる原因になり、閉経という結果にもつながります。

女性のなかには、「閉経したほうが、生理用品などの面倒がなくなってラク」「月経痛などで悩まされることがなくて気軽」などと思っている人もいます。しかし、閉経はこれまで説明してきたように、卵巣を含めた加齢による老化の結果です。

閉経後には、自然と太りやすくなるほか、骨粗鬆症《こつそしょう》や高脂血症といった生活習慣病へのリスクも高まります。閉経にはまだ早い年代の人が閉経するのは、早く老化していることのあらわれなのです。そのため、閉経の時期を遅らせるケアをすることは、老化の速度を遅く、波をなだらかにすることにつながります。

漢方の場合は、みなさんの多種多様な個々の症状であっても、「血」を含め、「気《き》」や「水《すい》」など、いろいろな分類の仕方（漢方医学では「証《しょう》」といいます）

を組み合わせて、カラダをトータルでとらえながら、ある程度は類型化できます。また、四〇歳を過ぎたら生じるさまざまな不調にも、閉経に向かう初期の段階と、いよいよ閉経になる直前の段階、さらに閉経直後の段階とで、症状、さらには程度や頻度《ひんど》が違ってきます。

みなさんが対処法を実践《じっせん》するにあたって、「血」に関係する症状を、閉経まではまだ時間のある「閉経準備期」と、閉経にいつなってもおかしくない「閉経直前期」と閉経直後の「閉経直後期」を合わせた「閉経直前・直後期」の二つに分けて説明します。

「閉経準備期」にあてはまる不調が多いあなたは、いまこそ、三〇代とは違う「四〇歳以上ならでは」のケアをはじめるタイミングです。

「閉経準備期」の各症状は、「閉経がはじまるサイン」でもあります。「閉経はまだ先のこと」とはいえ、確実に時計の針は進んでいます。

しかし、恐れることはありません。この時期に必要なケアを意識的に、積極的におこなうことで、「閉経直前期」への移行をなるべく遅らせるという「結果」が期待できます。

実際、診察していた四〇代前半の女性患者さんは、「閉経準備期」の症状が強く、本来の年齢からすればまだ遠い「閉経直前期」の寸前まで行きかけていたのですが、日々のケアを漢方薬も取り入れつつおこなったところ、症状が緩和《かんわ》してきました。

彼女は、三〇代までは月経が三〇日周期できっちりときていましたが、最近は周期が二四日から二七日と短くなり、また、経血がダラダラつづき、量も少なくなってきていました。しかも、のぼせや月経痛、肩こり、腰痛などもありました。

そこで、血のめぐりをよくする漢方薬を処方し、食事や生活習慣にも気をつけたところ、数カ月後には周期が二八日前後に安定し、経血量についても、月経初日は多く徐々に少なくなるという、ノーマルなメリハリのある状態となりました。

もし、あなたが「閉経直前・直後期」にあてはまる症状が多いのなら、月経がまだきていたとしても、閉経のサインが強くなっているといえます。ココロとカラダのケアを積極的におこない、閉経までの猶予《ゆうよ》期間を延ばし、スムーズな閉経を迎えるようにしましょう。

閉経を迎えたばかりの方も、まだ心身の混乱はつづいています。その混乱を落ち着かせ、一〇年にわたる長いイベントを終わらせるソフトランディングのための期間として、ケアをつづけてください。

「血」にまつわるさまざまな心身の変化に対するみなさんの不安や疑問も、(一) どのような症状としてあらわれていて、(二) どんな原因があるのか、さらには、(三) そうした変化や症状に対して、どう対処していけばいいのかという コーピング術 (対処術) ——を具体的に知ることで、解消のためのヒントにしてください。

閉経準備期

次にあげる症状で、あてはまるものはありますか？　第一章の「四〇歳〜五五歳の『気・血・水』チェックリスト」での症状よりも、さらに項目を増やしてあります。このなかにあまりあてはまる症状がないようでしたら、次項の「閉経直前・直後期」を見てみてください。

不調チェックリスト

□月経前に、いままで感じていなかっただるさや頭痛、下腹部痛を感じるようになった

□月経前に、いままで感じていただるさや頭痛、下腹部痛がひどくなった

□月経前に顔に吹き出物が出やすく、治りにくい
□排卵時期に下腹部の張りや鈍痛を感じることが多い
□月経時の痛みがどんどん重くなり、つらくなってきた
□経血に血のかたまりのようなもの（レバーペースト状）が混じっている
□月経周期が短くなった。たとえば、二八日周期が二四日になったり、一ヵ月で
　二、三回あることも
□月経時の経血量が多かったり少なかったりとムラがある
□経血の色が暗赤色である
□首のこりがつらい
□肩こりをもみほぐしても、すぐにまたこってしまう
□背中が鉄板を入れたような感じに硬く、痛い
□ぎっくり腰になりやすい
□寝不足でもないのに、目の下にクマができやすい
□肌《はだ》にシミやくすみが目立つようになった
□唇《くちびる》の色が暗紫色で、口紅を使わないと体調が悪く見える

□暖かい部屋に入ってもなかなか手足が温まらない
□ちょっとしたことですぐにアザができる
□一度できたアザが消えにくくなった
□以前は便通がスムーズだったが、便秘しやすくなった

これらはすべて、おもに「血《けつ》」の働きが悪くなっていることから起きるもので、閉経になる前の、比較的早い段階で自覚しやすい症状です。

右の症状が起きるようになったら、「いよいよ閉経を意識せざるをえない年齢になったな」と覚悟するのもよいですし、「閉経までには、ちょっと間があるな」と思ってもらっても差し支えありません。

漢方でいう「血」とは、いわゆる血液のことです。月経に直接関係する症状はイメージしやすいかと思いますが、首や肩のこりや肌の状態、さらには「冷え」までも、じつは「血」が関係しているのです。

不調の原因

　こうした症状がなぜ起きるのか、を漢方で端的に説明すると、カラダのなかで「血」の流れが悪くなっているためといえます。

　血行が悪いと、骨盤の血液循環が悪くなり、月経時に痛みなどさまざまなトラブルが生じます。このほか、こりも血行と関係していますし、必要な血液を必要な場所に送ることができないと体温調整もできなくなり、冷えを感じるようになるのです。

　もともと漢方では、思春期からの女性は更年期に似た症状が出る可能性がある、と考えられています。これは、「血《ち》の道《みち》症」という考え方で、冷えやのぼせ、頭痛、肩こりなど、「婦人に見られる更年期障害類似の自律神経症候群」を指すといわれています。さらに、更年期の女性の場合は、その発症率が高く、また症状が強く出ることが特徴です。

　西洋医学のホルモンの考え方をもとにすれば、先述のように、老化によって月経のメカニズムがくるうことを原因としてあげて説明できます。

月経に関係する二つの女性ホルモン、エストロゲンとプロゲステロンのうち、「血の異常」に関係するのは、おもにエストロゲンです。

エストロゲンは、脳の下垂体《かすいたい》から出る卵胞刺激ホルモンの刺激を受けて卵巣から分泌されます。ところが、四〇代になり、卵巣が老化し、エストロゲン自体が減りはじめると、「エストロゲンを分泌せよ」という脳からの指令に卵巣が応えられなくなり、その結果、月経のメカニズムがくるってきます。

これにより、月経周期が短くなったり、長くなったり、といった不順などが起きるほか、脳の指令にカラダが呼応しないことで、血管の働きを調整する自律神経が正常に働かなくなり、こりや冷えも生じます。

カラダとココロのコーピング術（対処術）

①生活――毎日少しでもカラダを動かす

●血行促進

血行をよくするための適度な運動をつねに心がけてください。三〇代までは、月に二、三回のスポーツクラブで半日かけて汗を流すといったように、ある程度まとめて運動することでも体調管理はできますが、四〇代からは、いったん不調になると回復するのに時間がかかります。ちょっとした不調をため込まないように、短いサイクルで、できれば毎日少しでもカラダを動かすことが大事です。

ただ「運動」といっても構える必要はなく、一駅分歩いたり、エスカレーターを使わず階段を使ったり、軽い散歩を日課とするなど、簡単なことからはじめ、つづけることを優先させましょう。

●月経トラブル

特に月経にまつわるトラブルを感じている方には、骨盤の血行をよくする体操やウォーキングなどがおすすめです。毎日、腰を回すだけでも効果があります。

また、座っている時間が長いようなら、一～二時間おきにでも一度は立って、動いたり、歩いたりして、骨盤の血行循環が悪くならないように気をつけましょう。

●クマ・シミ・くすみ

「クマ」や「シミ」「くすみ」は、女性が関心をもちやすいトラブルです。まず、クマは、目のまわりの細かい毛細《もうさい》血管の血流が悪くなると起こります。温かい蒸しタオルと冷たいタオルを交互にあてて血行をよくしたり、目のまわりのマッサージをおこなうといいでしょう。マッサージにあたっては、目のまわりの皮膚はほかの皮膚に比べて薄いので、強くこすらずに、一定方向にやさしくなでるなど、注意が必要です。

肌にシミができる要因にはいくつかあります。直接的には、紫外線を浴びることから生じます。カラダは、有害な紫外線を皮膚《ひふ》の深部まで到達させないように、表皮《ひょうひ》の基底層にある色素細胞（メラノサイト）でメラニン色素をつくり、紫外線から肌を守ろうとします。

その後、太陽光線があたらなくなると、不要となったメラニン色素は表皮細胞と一緒にはがれ落ちていくのですが、血のめぐりが悪かったり代謝《たいしゃ》が低下すると、はがれ落ちずに残ってしまい、それがシミになります。

また、ホルモンバランスが崩れてメラノサイトが活性化し、紫外線によって増えてしまう「肝斑《かんぱん》」もシミの一種で、一般的には顔の左右対称にできることが特徴です。

肝斑は、名前からもわかるように、五臓の「肝《かん》」と関係があります。「肝」は、全身から老廃物を集めて血液を浄化する、西洋医学でいう肝臓の働きとともに、カラダのなかの血液量を調整する役割を担っています。

さらに、四〇歳から出るシミとしては、おもに顔や手の甲、腕などにできる老人性色素斑《はん》があります。紫外線が原因の場合は、顔のなかでも紫外線を受けやすい頰《ほお》や額《ひたい》にできますが、紫外線以外の原因でできることもあります。表皮に色素が沈着《ちんちゃく》しているので、レーザー治療も有効です。

シミ対策としては、まずは紫外線に気をつけることです。月経前は、ホルモンの関係でメラニン色素が発生しやすくなるので、普段より念入りに紫外線対策をしましょう。さらに、十分な睡眠と適度な運動といった規則正しい生活で、血液のめぐりをよくして血行不良になるのを避けましょう。

くすみについては、老化による肌の新陳代謝の低下だけでなく、年代が若くても、疲れや寝不足などが重なって、「血」が肌に十分にめぐらないことでも起こります。

肌は本来、二八日ごとに、表皮下でつくられた新しい肌が表皮まで上がっていき、古い肌がはがれ落ちていく「ターンオーバー」をくり返しています。しかし、新しい肌が加齢による新陳代謝の低下などの理由で上がってこない場合、そのまま残った古い皮膚が乾燥して硬くなり、くすみとなります。

くすみのケアもシミ対策同様、規則正しい生活により血行を促進することがポイントです。肌に蓄積した古い角質《かくしつ》を落とすためのスペシャルケアを取り入れることも効果を期待できます。

こり

血行不良からくる首や肩、後頭部のこりは、秋から冬などの寒い時期や夏の冷房でひどくなる一方で、お風呂に入って温まると痛みがやわらぐことが多いものです。

夏でもスカーフを持参して冷房からカラダを守り、タートルネックやハイネックで首を温めるようにするといいでしょう。

また、肩こりや背中のこりがひどい場合は、肩回し、肩の上下運動、両ひじを背中で合わせるように胸を突きだし反《そ》るなど、その部分の筋肉を意識的に動かして固まった筋肉をほぐすような動作を、ちょっとした合間にでもするように心がけます。

●冷え

四〇歳からの冷えは、足（下半身）に感じやすいのが特徴なので、足（下半身）を意識して運動をすると効果的です。トイレに行った際などにも足の屈伸《くっしん》運動を日ごろからおこなうほか、エレベーターではなく、階段を積極的に利用するといったこともいいでしょう。

②食材——黒色食材、ＥＰＡ

「血」のめぐりをよくする食材がおすすめです。黒米や黒大豆、黒キクラゲ、黒砂糖など「黒」がつく食材は「血」にかかわりのあるものが多いのです。野菜では、ニラや玉ねぎ、セロリ、パセリ、三つ葉、ミョウガといった香りの強い野菜のほか、油菜《あぶらな》、小松菜、なす。果実類なら、クランベリーやブルーベリー、プルーン、すもなどがおすすめです。

魚介類では、アジやサケ、サンマ、ウナギなど。栄養学的には、血液をさらさらにして血栓を防ぐＥＰＡ（エイコサペンタエン酸）が含まれている、というい方になりますが、漢方では「血のめぐりをよくする食材」という範疇《はんちゅう》に入ります。

そのほかでは、酢や納豆、漢方薬でも使用されているターメリック（ウコン）やベニバナも血のめぐりをよくします。

特に肌ケアにあたっては、ハトムギ茶が、代謝をうながし美肌効果が期待できます。

一方で、甘いお菓子や揚げ物などの脂《あぶら》っこい料理、生ものや冷たいものは血流を悪くするので、四〇歳からは注意しながら食べましょう。

③ツボ――「血」のめぐりをよくする／首・肩こり

「血」のめぐりをよくするツボと首・肩こりに効果的なツボを紹介します。

●ツボの押し方

ツボを押すときは三段階くらいで徐々に力を強くして、五秒くらい「痛いけれど気持ちいい」程度の力で押します。その後、ふたたび三段階くらいで力を抜いていきジワーッと離します。これを五回くり返します。

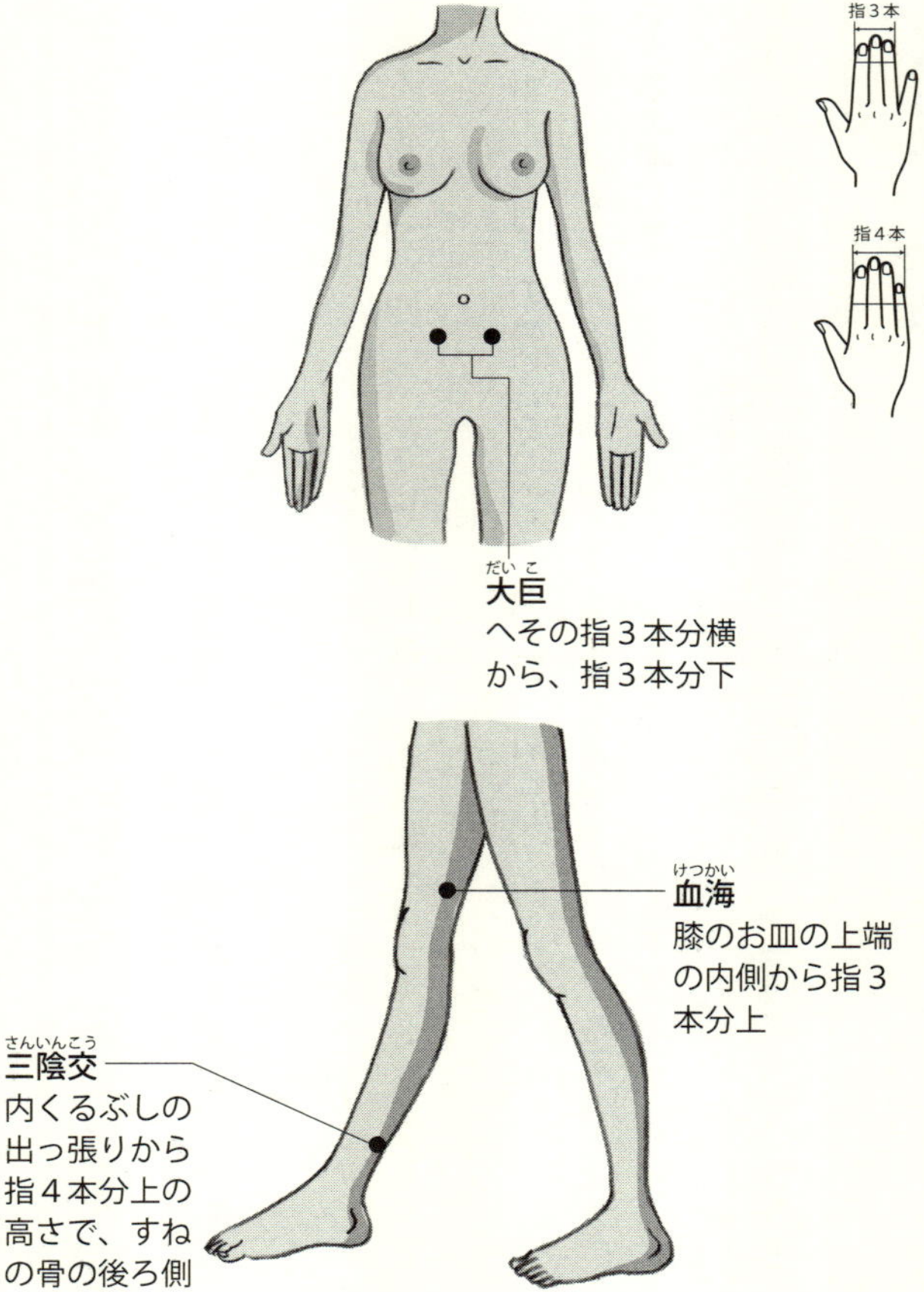

〈血のめぐりをよくするツボ〉

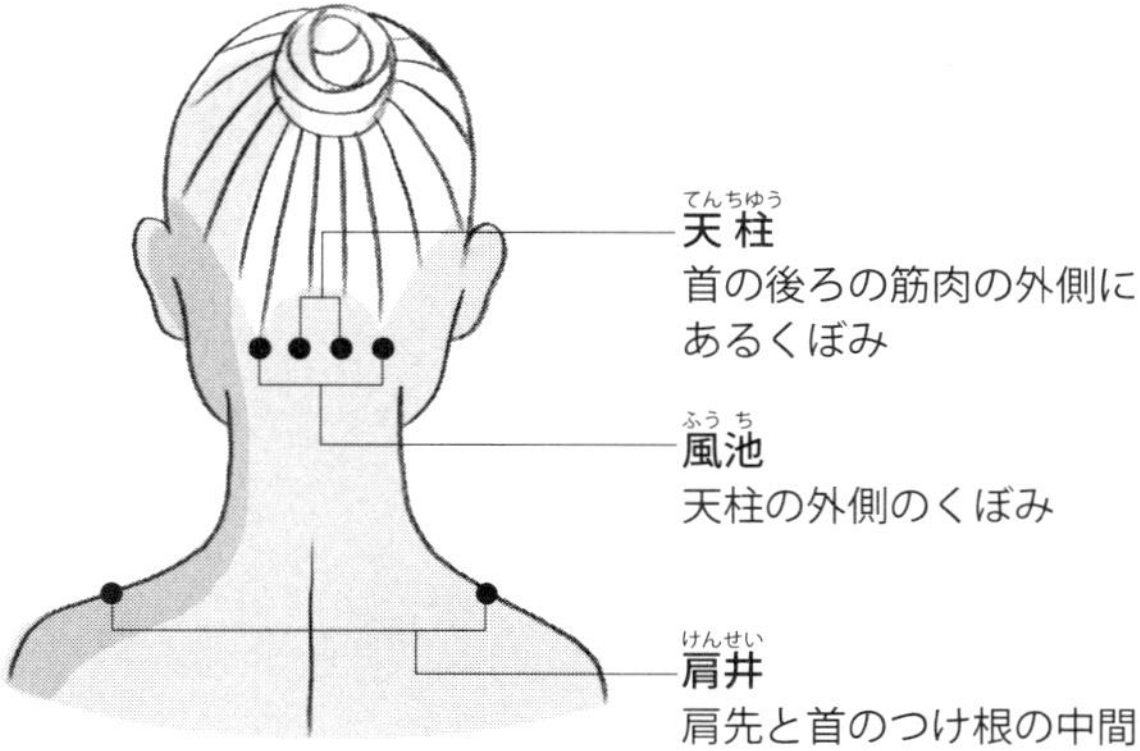

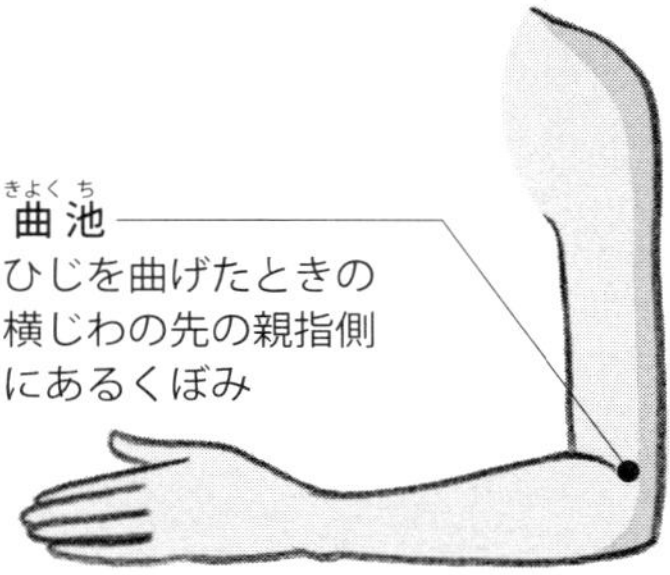

〈首・肩こりに効果的なツボ〉

閉経直前・直後期

第一章の「四〇歳〜五五歳の『気・血・水』チェックリスト」で、「血の異常」の項目に多くのチェックがついていながらも、「閉経準備期」の症状には、あまりあてはまる項目がなかった方。次の症状のなかに、あてはまるものがありますか?

不調チェックリスト

□月経時の経血量が少なくなってきた
□月経時におむつを使いたいほど大量の出血があり、貧血になった
□月経周期が長くなった。たとえば、三ヵ月、四ヵ月おきにやってくるようにな

った
□パンティーが分泌《ぶんぴつ》液で汚れなくなった
□性交痛を感じる
□温水洗浄便座のビデがしみる
□目が乾き、かすみやすい
□肌の乾燥や、かさつき、かゆみが気になる
□顔の毛穴が目立ってきた
□指にブツブツができ、指紋が消えるほど指先が荒れて、夜も眠れないほど痛い
□皮膚《ひふ》が過敏に反応して、これまで使っていた化粧品が合わない
□爪《つめ》が割れやすい
□唇《くちびる》が乾燥してリップクリームが一年中手放せない
□保湿クリームをつけても以前より肌が乾燥して、シワができやすい
□貧血ぎみ
□髪の毛が抜けやすく、白髪も多くなった
□集中力がつづかない

□予定や予約の日時を間違える、忘れる
□ど忘れや聞き間違いが多い
□目覚ましが鳴る前に目が覚めることが多い

不調の原因

閉経に近づくころ――女性の「七年ごとの変化」でいう四九歳前後は、「血」の量や質自体が低下しています。これを、漢方では、血が不足している「血虚《けっきょ》」の状態と考えます。

栄養が行き渡らないばかりか、栄養そのものが不足してきますから、全体的に乾燥症状が著《いちじる》しくなります。第一章で説明した、「老化の二つの流れ」のうちの、「実《じつ》から虚《きょ》へ」の流れが「血」で起きている状態です。このときにみられる老化の特徴として、漢方では「潤《じゅん》（うるおいのある状態）」から「乾《かん》（乾燥した状態）」になることを挙げています。

江戸中期の医師、香月牛山《かつきぎゅうざん》が、「婦人虚弱にして閉経するは血脈枯渇《けつみゃくこかつ》するなり」と記《しる》しているように、女性は血の量が少なくなって閉経すると考えられています。

西洋医学で説明すると、閉経が近づくと、いよいよ女性ホルモンのエストロゲンが少なくなってきます。

膣《ちつ》の粘膜《ねんまく》や泌尿器《ひにょう》、皮膚などは、エストロゲンのおかげで健康を保っているといっても過言ではありません。そのため、エストロゲンの量が一定量を下回ると、子宮などの泌尿生殖器《せいしょく》がだんだんと萎縮《いしゅく》し、骨量も減少し、高脂血症や動脈硬化などが進みます。

そして、月経が一年以上こない場合、もしくは、検査をした際に、卵胞刺激ホルモン値が四〇mIU/mL以上で、エストロゲンの一種であるエストラジオール値も二〇pg/mL以下という閉経とみなされる状態になると、子宮は硬くなり、肌の乾燥や皮膚のかゆみなどが顕著《けんちょ》になります。つまり、こうした症状は、この時期からはずっとつき合っていかなくてはならないものなのです。

ただ、次項の「カラダとココロのコーピング術（対処術）」をおこなうことで、日常生活になるべく支障を及ぼさないようにすることはできます。

すでに閉経を迎えた五〇代前半の女性患者さんが、皮膚や陰部の乾燥がひどくなり、かゆみを生じるようになったため来院されました。手足の冷えもみられたので、保湿の外用薬とともに、カラダを温めながら血をおぎなう生薬《しょうやく》や、カラダにうるおいをもたらす生薬を入れた漢方薬を処方しました。

さらに、血を消耗《しょうもう》させない生活習慣や、血をおぎなう食材を意識した結果、手足の冷えが改善され、皮膚や粘膜の乾燥感はあるものの、来院しなくてはいけないほどのつらさからは解放されました。

カラダとココロのコーピング術（対処術）

①生活――夜更かしをやめる

「血」を消耗させないようにすることに尽きます。

●乾燥

たとえば、血虚の特徴の一つ「乾燥」。目の乾きがひどいなら目薬を、皮膚の乾燥やシワが気になるなら保湿効果の高いクリームを、また膣をうるおす分泌物が減少して性交痛がある場合には粘膜に潤滑《じゅんかつ》ゼリーを塗《ぬ》るなど、カラダの外からのうるおいケアもとりあえずは大切ですが、血虚がこれ以上進行しないようにカラダの中からのケアを併用しましょう。

それにはまず、夜更かしをやめることです。なるべく夜は一二時前に眠りにつくように習慣づけましょう。

午前二時や三時まで起きているだけで、血は消耗します。長時間寝たとしても、夜更かしをしていてはカラダが休まりません。その結果、集中力の低下や疲れやすいといった症状も生じてきます。

さらに、睡眠不足も血を消耗させます。

四〇代後半の女性患者さんは、仕事が忙しいながらも肌の手入れに気を使ってきたそうですが、「最近は、睡眠不足だと肌の乾燥がはっきりとわかる」とのこと。「高価な美容液より、まず睡眠」と語っていました。六時間は睡眠時間をとるようにしたいものです。

また、目を酷使《こくし》しても血は消耗し、目の乾きやドライアイがひどくなります。パソコンを長時間使ったり、テレビやビデオを見つづけたり、細かい字を読むときなどは、ときどき目を休ませるようにしましょう。

●顔の毛穴

乾燥とともに肌トラブルで気になるのは、毛穴の目立ちです。毛穴トラブルは、第三章の「肌のたるみ」（一五四ページ参照）にも関係するものですが、乾燥によって目立つことが多いので、まずはうるおい対策が必要です。

毛穴は本来、汗や皮脂《ひし》を分泌して肌にうるおいをもたせる役割があります。若いころの毛穴の目立ちは、皮脂の分泌がさかんで皮脂が詰まっているためなので、四〇歳からの乾燥による毛穴の目立ちとは原因が違います。

三〇代までに脂分を取る市販の毛穴専用シートによるケアをおこなっていたとしても、それを四〇歳以上になってもつづけていると、かえって乾燥を助長させ、毛穴を目立たせかねません。

肌への水分補給と、水分を逃がさないようにクリームを使うことはもとより、睡眠や次項の食べ物にも注意するようにしてください。

②食材——黒色食材、大豆

前項の「閉経準備期」と同じく「血」のめぐりをよくすることに加え、閉経直前や直後は、血の補給にも気を配った食材を選ぶようにします。

黒米や黒大豆、黒キクラゲ、黒ゴマなど色の黒い食材は、漢方では血を増やしながら流れをスムーズにする食材だと考えられています。野菜類では、ほうれん草やにんじん、キャベツ、かぼちゃなどがおすすめ。魚介類ではサバやニシン、マグロ、ホタテ、赤貝。牛肉や豚肉、鶏肉などの肉類も血の補充に効果がありま す。そのほか、クワの実やぶどう、ライチ、栗、ピーナッツ、松の実なども血をおぎないます。

特に目の乾燥や疲労には、菊花《きくか》や枸杞子《くこし》（別名クコの実）もおすすめです。枸杞子や、「血虚」に効果があるといわれる竜眼肉《りゅうがんにく》、鶏卵、阿膠《あきょう》（別名コラーゲン）などは漢方薬にも使用されていて、たとえば、竜眼肉や卵黄は、不眠症状の改善に用いる漢方薬に含まれています。

また、西洋医学では、大豆に含まれているイソフラボンが、女性ホルモンのエストロゲンと似た作用があることが知られています。そのため、更年期の循環器系や骨の健康維持、乳ガンの予防において大豆や豆腐類をとることがすすめられています。

なお、大豆イソフラボンをサプリメントとしてとる場合は、過剰摂取にならないよう、注意が必要です。

政府の食品安全委員会では、一日あたりの大豆イソフラボンの摂取目安量の上限値を、イソフラボンアグリコン（イソフラボンの糖部分が分離したもの）に換算して七〇～七五mgとし、そのうち、サプリメントや特定保健用食品（トクホ）などで摂取する量は一日あたり三〇mgまでが望ましいとしています。

ちなみに、日本人の大豆・大豆製品からのイソフラボンの摂取量の中央値は一日あたり一六～二二mgです。

摂取量に上限値がもうけられた背景には、大豆イソフラボンだけを過剰に摂取すると、女性ホルモンのバランスが崩れる可能性があり、月経周期の遅れや子宮内膜増殖《ぞうしょく》症などのリスクが高まるとの報告があるからです。

古くから日本では、豆腐や納豆、味噌《みそ》、しょうゆなど、伝統的な食事で大豆をとってきた歴史があり、食品安全委員会も、通常の食事で大豆イソフラボンをとる分には、特に問題はないとしています。

ただ、大豆イソフラボンを単体のサプリメントとして摂取する場合は、食事でとる分量よりも多くとってしまうこともあるので、摂取量に気をつけてください。

③ツボ――ドライアイ

ドライアイに効果的なツボを次ページに紹介します。

●ツボの押し方

ツボを押すときは三段階くらいで徐々に力を強くして、五秒くらい「痛いけれど気持ちいい」程度の力で押します。その後、ふたたび三段階くらいで力を抜いていきジワーッと離します。これを五回くり返します。

こんな病気に注意

月経の変化や不調を「更年期だから」と考えてしまいがちですが、じつは病気にかかっている結果として、そうしたトラブルが起こっている場合もあります。

月経期間ではないときに起こる不正出血や、月経の周期が乱れるなどの月経不順がみられるときに、もっとも注意しないといけないのが、子宮ガンや卵巣ガンです。

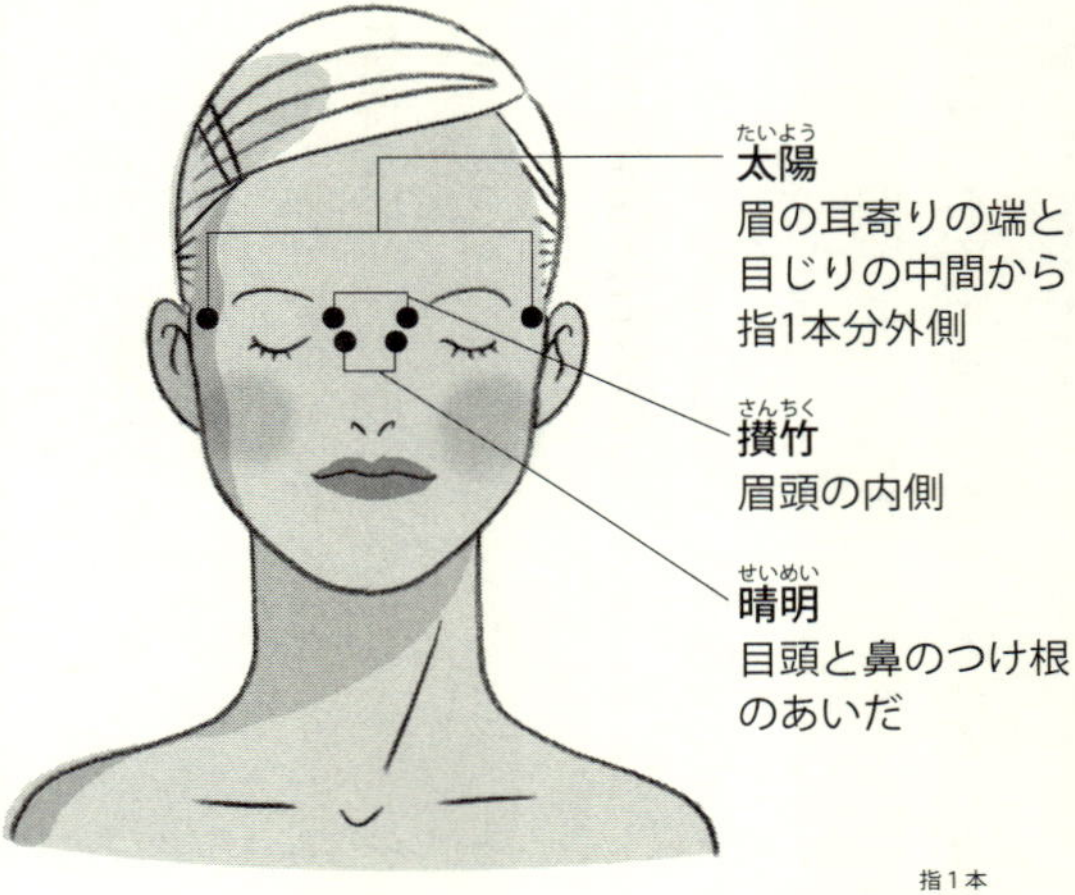
太陽《たいよう》
眉の耳寄りの端と
目じりの中間から
指1本分外側
攅竹《さんちく》
眉頭の内側
晴明《せいめい》
目頭と鼻のつけ根
のあいだ

指１本

子宮ガンには、子宮頸《けい》ガンと子宮体《たい》ガンがあり、いずれも初期は症状が出ませんが、進行すると不正出血が起こる場合があります。

また、閉経準備期に起きる症状で気をつけなくてはいけないのが、子宮筋腫《きんしゅ》や子宮内膜症。閉経直前期や閉経直後期では、膣炎《ちつえん》や膀胱炎《ぼうこうえん》、貧血に要注意です。

膣炎は、閉経でエストロゲンが出なくなることによって膣が萎縮《いしゅく》したり、膣の乾燥が進むことがおもな原因です。萎縮とともに粘膜が薄くなると炎症を起こしやすくなります。

病気にかかっていなくても不調を感じる年代ではありますが、年に一度は健康診断を受け、また気になる症状があったら、まずは検査をして確かめることをおすすめします。

第三章　「疲れがとれない」と思ったら

――「気」にかかわるカラダとココロの変化

「気《き》のせい」ですまさない

「気《き》」という言葉は、みなさんの身近で案外と使われています。たとえば、「病《やまい》は気から」という慣用句。これについては、江戸時代の儒学者《じゅがくしゃ》、貝原益軒《かいばらえきけん》が『養生訓《ようじょうくん》』のなかで、「病とは、気を病むことである」と説明しています。まさに気を病むと「病気」になります。その「気」について、この章では説明します。

漢方でいう「気」とは、生命活動をいとなむエネルギーのことです。元気、気力、気合《きあい》の「気」です。気持ち、気分といったココロの状態も含んでいます。

四〇歳からの日常の不調は、更年期障害のような日常生活を送ることさえも難しい場合をのぞき、多くは病気とみなされません。とはいえ、この年代は、病気でなくても、「気」が体内でうまくめぐらなくなったり、「気」自体の量が少なくなったりすることで生じる不調が多くみられます。

「気」に限らず、第二章での「血《けつ》」や、第三章で説明する「水《すい》」も含め、「病気ではないけれども、健康でもない」という状態に悩まされることが多いのが、四〇歳以上です。こうした状態を漢方では「未病《みびょう》」といいます。

しかし、「病気ではないから、放っておこう」といった〝不調の先送り〟は危険です。なぜならば、四〇代でのケア次第で、五〇代からさらに体調が悪くなってしまうか、逆に不調が楽になっていくか――へとたどる道が分かれていくからです。

未病を克服するにあたっては、ちょっと気になる程度の不調であっても、「気のせいということはない」と意識してほしいのです。このことは、どの年代にもいえることですが、特に四〇歳からは、つねに忘れずにいてください。

四〇歳からは余分に「気」を使う

四〇歳からの女性に共通していえるのは、それまでの人生のどんな時期と比べても、「いままで以上にエネルギーを使わざるをえない状態にある」ということです。専業主婦でも働いている女性でも、子どもの有無にかかわりなく、皆おしなべて、エネルギー、つまり「気」を余分に使っています。それまでとまったく同じ生活をしていても、です。

それは一つに、前章で閉経に関連して説明した女性ホルモンが大きく影響しています。

この年代は、女性ホルモン（エストロゲンとプロゲステロン）の量が少なくなってくることに加え、卵巣《らんそう》や子宮《しきゅう》の機能もおとろえてきます。その結果、脳の指令とカラダの反応とがうまくかみ合わず、カラダは混乱状態にあります。

その混乱の過程で、月経周期の乱れが生じるほか、いろいろな不調を覚えることになるのです。

ただ、カラダにはもともと、第一章でも触れたように、体内環境を一定の状態に保つ仕組み「ホメオスタシス」が備わっています。ホメオスタシスは、「神経系」「内分泌系《ないぶんぴつ》」「免疫系《めんえき》」という、カラダを動かしている三つの仕組みから成り立っています。

たとえば、強いストレスがかかると、ホメオスタシスの一つ、神経系の働きがくるいだします。具体的には、自律神経という、自分の意志に関係なく、呼吸や心拍、循環、消化など、生命を維持するために必要な働きをもつ神経がダメージを受け、心臓がドキドキしたり、イライラや不眠といった不調を訴えるようになります。

加齢によって体内のホルモンバランスが変化していく時期である四〇歳からの女性については、脳が、そうした「変化」に対して、「ホメオスタシスを崩さないようにしなくては」と働き、カラダをなんとか元の状態に戻そうと必死になっています。エストロゲンが少なくなれば、「もっとエストロゲンを出さなくては」と反応し、卵巣の働きがおとろえてくれば、「卵巣の働きを活発にしよう」と動きます。

こうした過程で、みなさんは、冷えやのぼせ、めまい、動悸《どうき》、不眠などといった不調を覚えるのですが、カラダの反応自体は正しいことなのです。ですから、不調を感じることは、いい方を変えると「カラダが正常に働いている証拠」ともいえます。

このホメオスタシスの新たな活動に対して、四〇歳からはエネルギーを使わざるをえないのです。

漢方医学の観点からいい換えると、「カラダの変化に対する調整のために無意識のうちに余分な『気（エネルギー）』を使っている」となります。この調整のために使う「気」は、基本的には三〇代までは使う必要がなかったものです。つまり、「四〇代になったら、余分に『気』を使う」わけです。

ただ最近では、本来ならこの「調整のための気」を使うにはまだ早い三〇代なのに、更年期と似た症状を訴える女性も見受けられます。このような人は、「気」を若いころから余分にすり減らしてしまい、「気」が四〇代のように少なくなってしまっている危険性があります。夜更かしや暴飲暴食といった不摂生《ふせっせい》やストレスなど、いろいろな原因が考えられます。

「気」の使いすぎで三〇代であっても四〇代の不調を経験する可能性があるように、「気」は老化に大きく関与しています。特に「気」を余分に使う四〇歳からは気をつける必要があります。

逆にいえば、四〇歳からはカラダのバランスをとるために余分に「気」を使うということさえ理解できれば、「気」が原因となる不調を防ぐための方法はいたって簡単なことです。
①意識的にムダな「気」を使わないようにし、
②使った「気」をすぐにおぎなえばいいのです。
つまり、「気の温存と補給」をおこなうのです。これらは、「気の二大養生法」

ともいえます。

ただ実際には、なかなか「気」を余分に使っていることを意識できずに、第一章の「四〇歳～五五歳の『気・血・水』チェックリスト」で「気の異常」の項目にチェックがついてしまう人も多いものです。

なぜ「気」を余分に使っていることを意識しづらいのか、ということについて、日ごろの診察で患者さんにお話ししていることを、次に記《しる》したいと思います。

頑張り屋さんのおちいりやすいワナ

みなさんは、こんな経験がありませんか？

「これまでの休日のお買い物は、新宿と渋谷のいくつかのショップを回ったほかに銀座まで足を延ばしていたのに、最近は、新宿のショップ数軒が精一杯」

「バーゲンのときは、前日深夜まで仕事をしていても、早朝から繰り出していたけど、いまは、起きるのがつらく、そもそもバーゲン会場まで行く気力がない」

「楽しかった近所の奥さんたちとのおしゃべりも、時間が長いと疲れるようになった」

あなたが四〇歳を過ぎているのなら、これらはまさに、カラダを調整するために、これまでよりも「気」を使っている結果として起きている出来事です。

それぞれのケースについて、あなたなら、どう考えますか？

「以前と同じように新宿、渋谷、銀座を回れるはず」

「バーゲンでよい物をゲットするには、早朝に行くのがベストだから、目覚ましを複数セットしよう」

「何時間でも友人といるのは楽しいのだから、なんとか楽しまなくては」――。

いままで元気に暮らしてきたあなただったら、こう考えるのも自然なことかもしれません。

これらの考え方で共通しているのは、「頑張る」ということです。

「頑張って買い物に行く」「頑張って早起きする」「頑張って長時間会話する」

しかし、思い出してください。いまのあなたは、カラダの調整のためにただでさえ余分に「気」を使っているのです。それなのに、「こんなはずではない」「いままではできていたから」と頑張ってしまっては、さらに余分な「気」を使ってしまうことになります。

その結果、「気」はすり減り、エネルギーが枯渇《こかつ》して逆に老け込み、老化を早めてしまうことになるでしょう。つまり、「以前と同じように」という思いで頑張る行為は、エイジング対策としては、かえって逆効果なのです。

「頑張り屋さん」がおちいりやすいワナとでもいいましょうか。頑張って無理がきくのも、三〇代までなのです。

半日で新宿から渋谷、銀座を回れたことも、睡眠時間を減らして起床できたことも、長時間話しつづけられたことも、すべて〝過去の栄光〟だと思って、四〇歳からは、まずはそれをいったん忘れましょう。

そして、「いまのあなた」の心身と向き合い、頑張るだけの「気（エネルギー）」が自分に残っているだろうか、とご自分に問いかけてみてください。

また、「エネルギーを余分に使うだけの頑張りが必要なことなのか」との問いかけも大切です。もちろん、頑張らなくてはいけないときだってありますから。

「気」の総量が小さくなる――エネルギー・ボール・セオリー①

とはいえ、四〇年間で出会ったことのない「いまの自分」と向き合うのも、なかなか容易なことではありません。患者さんのなかにも「頑張り屋さん」やもともと体力がある人がいて、「いまの自分」と向き合うことがなかなか難しい場合は、エネルギー（気）の総量をボールにたとえてお話しするようにしています。

まず、エネルギー・ボールの大きさは、生まれたときから個人差があります。大きなボールで生まれてきた人は、子どものころから体力があり、若いころは疲れ知らずで、活発に動き回ってきたことでしょう。

一方で、ボールが小さかった人は、幼少のころから病気がちで、華奢《きゃしゃ》で、疲れやすいといった特徴があります。

そして、どんな大きさのボールで生まれてきたとしても、年齢とともにボールは小さくなっていきます。大きく生まれてきた人のボールは小さく、小さいボールはより小さくなっていくのです。

女性の場合、第一章の「七年ごとの変化」にあてはめると、二八歳をピークに、どんなボールも小さくなっていきます。もちろん、日々のケア次第で、ボールが小さくなる度合い（速度や縮小割合など）が違ってきたり、不養生を改めることでボールが以前（若いころ）より大きくなることはありますが、全体の流れとして「小さくなる」という方向性は変わりません。

使える「気」が少なくなる――エネルギー・ボール・セオリー②

特に四〇歳を過ぎると、前述のように、カラダの調整のためにエネルギーを余分に使わなくてはいけません。

たとえば、ある四〇代の女性の「気」の最大量が一〇〇だとしましょう。このエネルギーのうち二〇を、カラダのバランスをとるために使わなくてはいけないと仮定した場合、残りの八〇で日々の生活をいとなまなくてはいけません。

それなのに、二〇のエネルギーを無意識のうちに使っている年代であることを忘れて、自分の使えるエネルギーが一〇〇あると思って行動してしまうと、エネルギー・レベルはマイナスになってしまいます。

また、ボールの大きさを三〇代のころと同じだと思っている場合についても、いくら二〇を差し引いて行動したとしても、ボール自体（エネルギー総量）が小さくなっているので、エネルギー・レベルは同じようにマイナスになります。

なかには、この両方を無視した行動、つまり、四〇歳以上になったにもかかわ

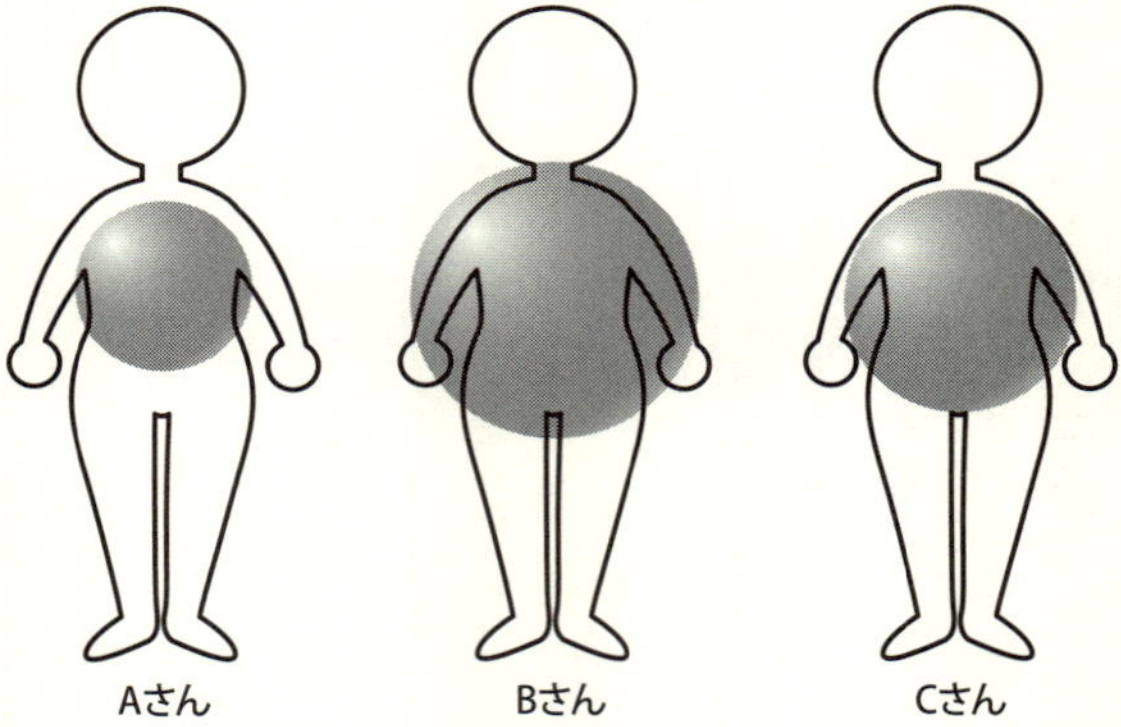

エネルギー・ボールの大きさは人それぞれ

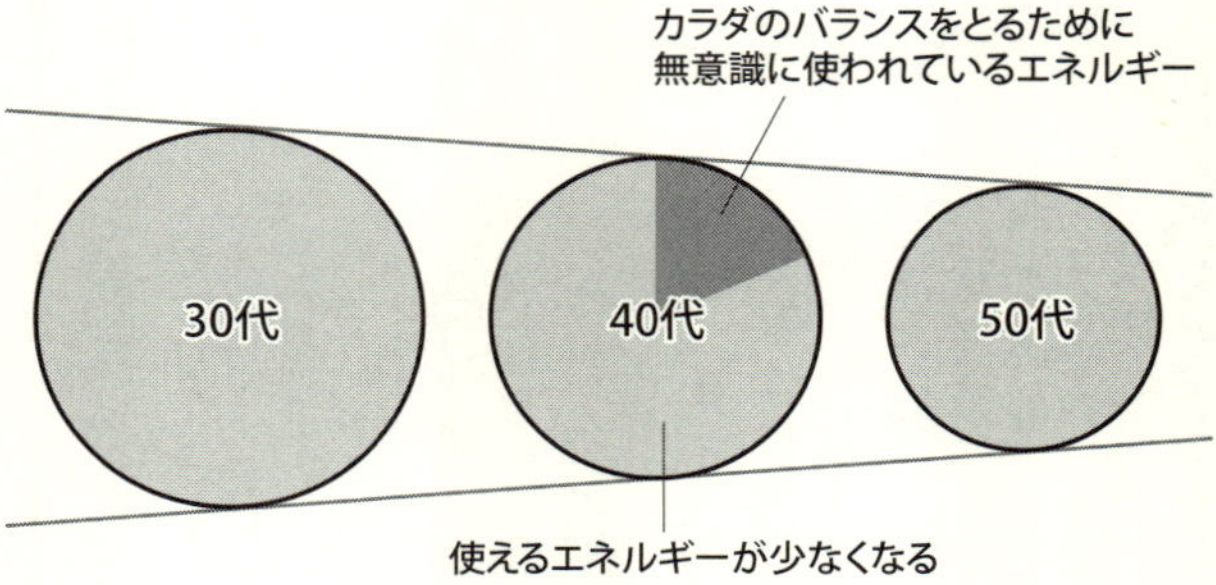

エネルギー・ボールは年齢とともに小さくなっていく

らず、三〇代のエネルギー・ボールの大きさの範囲内で最大限の行動をしてしまう人もいます。

こうした場合はおしなべて、以前は簡単にできていた行動であっても疲れを感じてしまうなど、これまでとの「違い」を自覚することになります。いわゆる「いままでと同じように暮らしているのに、疲れやすい」などといった感覚です。

体力がある人ほど「急に老け込む」危険性

とかくこれまで体力があった（ボールがもともと大きい）人は、「エネルギー・ボール・セオリー」になかなか気づきにくいものです。

体力（エネルギー＝気）がある分、無理ができてしまうので、エネルギー・レベルが下がっていても、「たまたま疲れているだけ」とやり過ごしがちですが、そうした行動は、結果的にどんどんエネルギー・レベルを落としていってしまうことになります。

マイナス・レベルになるともはや無理がきかない状況になり、そこでやっとエネルギーが枯渇していることに気づく、というような事態になりかねません。

ょう。

「いままでできていたのに、なぜできないのか？」「疲れが全然抜けない」と、心身の以前との違いの大きさに驚き、かえって不安になってしまうこともあるでしょう。

また、この段階で気づかずに、さらに無理を重ねると、不調を通り越して「病気」になってしまい、過労死などのリスクも高まります。

みなさんが周囲を見渡して、「あんなに若々しかったのに、最近、急に老け込んだみたい……」と思える人がいたら、かつては高かったエネルギー・レベルが、いまではマイナスになってしまっている可能性が大きいのです。

「一病息災《そくさい》」ともいいます。この意味は、「持病が一つくらいあるほうが、無病の人よりも健康に注意して、かえって長生きする」ということです。

小さいころから病気一つしなかった人や無理がきいた人は、四〇歳からは「いつまでも、エネルギー・ボールは大きくない」ということを意識してほしいと思います。

休養はカラダのメンテナンス

〝過去の自分〟にこだわるのではなく、「いまの自分」と向き合うことは、自分に起こっている変化を受け入れることにもなります。カラダに変化が生じ、そのために余分な「気」を使っている年代であることを受け入れることができれば、不調に対してムダに頑張ることもなくなり、かえって老化の速度や度合いを遅らせることにつながります。

逆に、この「受け入れ」ができないと、実際のカラダの状態と、「こんなはずではない」という気持ちとのギャップが生じ、そのギャップが大きくなればなるほど、気持ちが落ち込みやすくなります。

患者さんでも、このギャップによってうつ気味になっている場合には、前述のエネルギー・ボール・セオリーのお話をします。すると、患者さんはカラダの変化に順応するために「余分に使っている気」の存在を知ることで、「とても気が楽になりました」と、暗いトンネルを抜けたように明るい顔色になり、不調からの回復も早くなることが多いのです。

症例を一つ紹介しましょう。四〇代半ばの出版関係の仕事をしている女性患者さんは、ずっと忙しい毎日を過ごしていましたが、最近は、同じ仕事をしても以前より疲れる感じがしていました。

「こんなはずではない」と思い、また、周囲から怠《なま》けていると思われるのが嫌で、かえって一生懸命になって睡眠時間を削って頑張りました。しかし、ますます疲労がたまり、さらには、やる気がなかなか起きなくなり、しだいに仕事に打ち込むことができなくなってきました。

これは、四〇代になって余分な「気」を使っていることを知らずに頑張ってしまったために、「気」が不足し、また体内でうまく「気」が回っていないことから生じる典型的な症状です。

彼女には、「気」をおぎない、かつ、めぐらす漢方薬を処方するとともに、彼女の年齢になると、病気でなくてもカラダのなかでいろいろな変化が起こっていて、その結果、カラダのなかで余分な「気」を使っていること、同じことをしていても、以前よりも使える「気」が少ないために疲れるのだということを説明しました。

意識的に休養をとることをすすめ、それはけっして怠けているのではなくカラダの積極的なケアや前向きなメンテナンスであり、日ごろの行動についても、優先順位をつけて、すべてに全力投球ではなく、「力を抜くところは抜く」ようにアドバイスしました。

彼女には、休暇をとることは「怠けている」という固定観念があったのですが、次の診察時には、「休息は、怠けているのではなく、自分の体調管理のための積極的なメンテナンスと考えると気持ちが楽になった」とのこと。自分のカラダのサインに耳を傾けるゆとりができて、無理をすることが少なくなり、症状にも改善がみられるようになりました。

ムダに頑張らないコツ

このように「気」にまつわる不調の改善には、漢方薬だけでなく、「気の持ちよう」も大きな役割を果たします。

四〇歳を過ぎて、家事や仕事が以前と同じようなペースでできないことは、ある意味、当然のことです。四〇歳を過ぎたら、あらゆることに全力投球しつづけることは無理なのです。

一方、この年代は、経験に基づいて「物事に優先順位をつける」ことができます。優先順位の高いものから力を使い、低いものについては力を抜くことで、加齢によるエネルギーの減少をカバーすることが可能になるのです。

「優先順位をつける」ことや「力を抜く」ことは、年齢を重ね、経験を積まないとできない技です。「いかに適切な優先順位をつけることができるようになるか」がムダに頑張らないための秘訣といってもいいでしょう。

カラダ自体は、四〇代の混乱期を経て落ち着く方向に向かっていきます。しだいに、脳が「いくら卵巣を刺激してもホルモンは出てこないんだ」「ホルモンが少なくなってきたことに抵抗しなくていいんだ」とわかってきて、女性ホルモン量の変化などに抵抗しなくなるからです。これも、カラダの正常な反応です。

脳とカラダの働きが不一致状態にある混乱期の四〇代に「いかにムダに頑張らないか」ということが、混乱期を経てカラダが落ち着いてくる五〇代に「急に老け込んだ」感じにならないためにも、大事なことだといえます。

ランニング・ブームも要注意

近年、ランニングを楽しむ女性が増えています。なかには、フルマラソンに挑戦する方も少なくありません。ランニングをつづけていると、血中の鉄分が流出して貧血になりやすく、特に女性はその傾向が強いので、鉄分やタンパク質、ビタミンCやカルシウムなどを多めにとるなど、食生活の工夫が必要なことは、よく指摘されています。

特に四〇歳からのランニングやマラソンを楽しむにあたっては、漢方の「気」の面での注意も必要です。

ある四〇代前半の女性患者さんは、疲れやすく、のぼせやすい。月経も数ヵ月こない、との訴えで来院しました。聞くと、一年ほど前から「健康にいいから」と友達からすすめられ、ランニングをはじめたとのこと。学生時代はスポーツのサークルに入っていた経験があるものの、ここ二〇年近くは本格的な運動はしていませんでした。

とても真面目な性格で、練習もまめにこなし、ハーフマラソンで納得のいくタイムが出たことをきっかけに、フルマラソンにも挑戦。その直後から、ぐったりとして疲れが抜けず、月経もこなくなり、のぼせをひどく感じるようになったそうです。

これは、「気」を使いすぎた典型的な例です。もちろん、ランニングは「血《けつ》」の流れをよくする効果もありますが、まずはご自分の「気」の総量や、ランニングに使えるだけの「気」がどれだけ残っているのか、といったことを把握《はあく》しなくてはいけません。

この患者さんには、エネルギー・ボール・セオリーを説明するとともに、「気」をおぎなう漢方薬を処方したところ、二〜三カ月ほどしてカラダのリズムが戻り、月経が再開しました。治療をしていなかったら、あのまま閉経になってしまう可能性を含め、老化の急勾配《こうばい》の坂を駆け下りていたかもしれません。

ランニングに限らず、四〇代になってからスポーツや習い事をはじめる際には、「気」を消耗しすぎてマイナスにならないように気をつけましょう。

「気の異常による困った人」への対応

冒頭に、「気」はココロの状態とも関係する、と書きました。つまり、「気」の消耗や補給といった管理にあたっては、感情のコントロールも大切です。

漢方では、「喜」「怒」「思」「悲」「憂」「驚」「恐」の七種類の感情を「七情《しちじょう》」と呼び、それぞれの感情の度合いが過ぎると、自律神経や血液循環、臓器などに影響を及ぼし、老化を早めることになると考えられています。

ここでは、「気」の異常によって周囲を困らせる人の三パターンについて例示します。「気」にかかわる不調のある人はもとより、四〇代以上のみなさんが、いまこうした人たちに困っているのなら、上手につき合う方法のヒントにしてください。

●マッチポンプ型

夫（妻）や子ども、職場や学校での人間関係などに不満だらけ。自分自身でストレスをつくって、そのストレスで体調を壊し、ストレスから抜けられないタイプ。不平不満が他者への怒りとなって、それが度を越すと、自律神経が乱れ、情緒が不安定となり、「気」が逆流し、イライラしてきます。

●自己顕示《けんじ》型

自分のことだけに関心がある。他人を気遣う風ではあるが、結局は自分のことだけを主張しているタイプ。自己主張したくても、ほかの人が自分をわかってくれないことで、いろいろと思い悩みすぎると、「気」が不足したり停滞して、食欲不振や便通異常がみられます。

●隣の芝生《しばふ》型

他人がねたましく、うらやましてく仕方ない。周囲のことが気になって、自分を省《かえり》みられずに体調を壊すタイプ。周囲の目ばかりを恐れていると、「気」が乱れ、精神が不安定になり、老化を早めます。

いずれのタイプも、かなり「常識」からズレた意識がもとで「気」が滞《とどこお》ったり逆流したり、減ったりしてしまいます。女性の場合なら、「気」における「閉経準備期」の症状が多く出たり、若くして「閉経直前・直後期」の症状に移行しがちです。そして、こうしたタイプが困るのは、周囲の人間を巻き込み、他人の「気」までも乱してしまうことです。

常識からズレた人と接して体調を崩した患者さんを診《み》てきた経験から、常識からズレた人と常識人がぶつかり合うと、「確実に常識人が体調を崩す」ということがいえます。同じ次元では話せないので、同じ土俵《どひょう》で対抗すると、エネルギーのムダ遣いにしかなりません。

「困った人」に出くわした際に、「自分のほうが悪いのではないか」と思ったり、はたまた「相手の間違いを直してあげよう」などという気持ちになったら、一度思いとどまって考えてみてください。

「エネルギーを消耗させてでも、老化を早めてでも、対応すべきことなのか」と。

こうした「困った人」に対しては、特別に難しいことではありませんが、ときには一定の距離を置き、普通の隣人や社会人同士のつき合い以上には近づかないようにしたり、自分で立ち向かわずに知人、上司などに相談してみることも大切です。

ケアで老化の速度を遅くする

「気」の症状についても、「血」と同様、四〇歳から更年期が終わるまでの期間のうち、女性の七年ごとの節目に基づいて二つに分け、それぞれ特徴的な症状を説明しました。

閉経にはまだ時間があるが、閉経に向けた心身の変化が出はじめる「閉経準備期（四〇歳～四五歳）」と、閉経直前の「閉経直前期（四五歳～五〇歳前後）」と閉経にともなう変化に心身が慣れつつある「閉経直後期（五〇歳前後～五五歳）」を合わせた「閉経直前・直後期」です。

みなさんが、閉経までのどの段階にいるのか、だいたいの目安にしていただければ幸いです。

ただ、症状には個人差があります。もし、三〇代ですでに閉経準備期にあてはまる症状を経験していたり、四〇代前半ですでに閉経直前・直後期にあてはまる症状があるなどの場合は、「気」の減り方が早くなり、結果的に老化が進んでいる可能性があります。以下にあげるケア（養生）を生活のなかで意識するように心がけ、「気」の減少や老化の速度を遅くしたり、老化の波をなだらかにしましょう。

一方で、五〇歳近くなのに、まだ閉経準備期の症状くらいで、閉経直前・直後期の症状がほとんどない場合は、「気」の減少や老化の速度が遅く、程度も軽いといえます。これまでの暮らし方が、老化の坂をなだらかにコントロールすることに寄与《きよ》したのでしょう。これからも適切な養生をつづけてください。

閉経準備期

第一章の「四〇歳～五五歳の『気・血・水』チェックリスト」で、「気の異常」の項目の過半数にチェックがつき、さらに左記にあげる症状のなかでも、あてはまるものが半数以上あるようでしたら、閉経までにはまだ時間はありますが、「いずれは閉経する」という事実について、意識しはじめたほうがいいでしょう。

また、次ページ～の症状に加え、次項の「閉経直前・直後期」の症状のなかにもあてはまるものがある場合は、両方の「カラダとココロのコーピング術（対処術）」を参考にしてください。

不調チェックリスト

□夫の行動が、箸《はし》の上げ下ろしから何から何まで嫌になる
□楽しいことの後の落ち込みがひどい
□何から何まで不安で仕方がない
□クヨクヨ、憂うつ、うつうつした気分を覚える
□涙もろい（たとえば、ドラマを見ているとすぐに涙ぐんでしまう）
□何に対しても意欲がわかない
□息が十分吸い込めない感じがする
□喉《のど》や胸に何か引っかかっている感じがする
□寝つきが悪く、夜中でも眠くならない
□一人で食事をするのが嫌でたまらない
□外出するのが面倒になる
□メモをしたり、細かい計算が面倒くさい
□電話が鳴っても出たくない

□買い物に行くのがつらい
□毎食の料理をするのがおっくう
□歯を磨くのがおっくう
□夜、お風呂に入るのがおっくう
□化粧したり、クレンジングしたりするのがおっくう
□頭がカーッと熱くなる
□顔はのぼせるのに、足が冷える
□突然、頭が痛くなる
□いつもは怒らない些細《ささい》なことにイライラして、身内に当たる
□急に心臓がバクバクする
□電車に乗ったら一人だけ首から上に突然汗が噴き出した。数分したら今度はゾクゾク寒気がした
□朝、起き上がる気力がない

不調の原因

これらの症状は、「気」が体内でうまく流れず、どこかで滞っていたり、下から上へと逆流していることから起きます。

三〇代までの「気の異常」と根本的に異なる点は、女性ホルモン量が減ってくることとも相まって、それまでの症状よりも強く、広範囲に生じることです。

一例をあげると、以前は季節の変わり目に気分が落ち込む程度だったのに、四〇代になったら、気分の落ち込みを頻繁《ひんぱん》に、またいろいろな場面で感じるようになるケース。ちょっとした気分転換程度では、落ち込みが回復しない場合もあります。

また三〇代は、女性の「七年ごとの変化」にみるように、本来は人生のなかでまだ調子がいい時期ですから、それまではほとんど「気」にまつわる異常がなかった人も多く、四〇歳を過ぎて、初めて「気の異常」による症状を経験するケースもあります。

「気と女性」との関係性は、じつは江戸時代から確認されていました。喉飴《のどあめ》で有名な「浅田飴」のもととなる処方を考案したといわれる江戸時代の漢方医、浅田《あさだ》宗伯《そうはく》は、「婦人は気滞が（カラダに）害を与え、男性より甚《はなは》だしい」と書き残しています。

「気滞」とは、「気」が停滞している状態を指します。徳川将軍家の御典医《ごてんい》もつとめた彼は、女性は男性よりも、「気」が体内でうまく流れないことから生じる不調が多いことを指摘したのです。

四〇代になって、自分の身に起こった急激な変化に対して、不安になったり、ショックを覚えたり、受け入れがたく思ったりして、この時期は混乱しがちです。しかし、閉経準備期の「気（エネルギー）」は、三〇代と比べて減ってはいるものの、まだある程度は残っています。

この時期の「気の異常」は、カラダのバランスをとるためにエネルギーを余分に使っていることや、エネルギーをうまく活用できていない状態、すなわち「気のめぐりの悪さ」や「気の偏《かたよ》り」が原因となって生じることが多いのです。

適切なケア次第で症状も落ち着いてきますから、あわてずに、次にあげる「カラダとココロのコーピング術（対処術）」を試してみてください。

カラダとココロのコーピング術（対処術）

①生活——使えるエネルギーを意識する

●エネルギー・ボール・セオリー

冒頭に「病は気から」という言葉を紹介しましたが、私が考えるに「健康も気から」です。まずは、前述の「エネルギー・ボール・セオリー」を、いつも頭の片隅に置いてみてください。気持ちの持ちようで生活習慣が変わってきます。

四〇歳からは、カラダのバランスをとるためのエネルギー（気）を余分に使っていて、①エネルギーの総量は少なくなっていき、②使えるエネルギーの量も減っていく——ということを意識して生活を送るだけで、閉経準備期の不調の多くを軽減できるといっても、過言ではありません。

エネルギー・ボール・セオリーによって、「気の二大養生法」の一つ「気をムダに使わない（気の温存）」ということが可能になります。

ですから、この時期は、「もうひと花咲かせよう」と、あえて難題に挑戦したりする際には要注意です。物事の優先順位をつけて、「気」の配分を適切にすることが大切です。

リラックス

そのうえで、「気」のめぐりを、こまめに、よくするよう心がけます。何かとストレスが多い年代だからこそ、毎日の生活にゆとりをもつことが大切になります。

仕事や家事について「あせらず・頑張りすぎず」をモットーに、就寝前のせめて一時間は好きな音楽を聴いたり、ゆったりとしたバスタイムを過ごすなど、気持ちを意識的にリラックスさせるようにしましょう。

たとえば入浴は、頭を休ませ、気持ちをリラックスさせる作用があるといわれています。すぐにイライラしたり、興奮したり、怒りっぽくなっている人は、エネルギーが頭（上）にのぼっているので、半身浴や足湯で下半身を温めて、エネルギーを足（下）に下げることで、全身の気のめぐりがよくなります。

夢中・無心

また、この年代は「自分へのご褒美《ほうび》」も効果的です。たまにはぜいたくな料理を食べたり、かねてほしかった物をボーナスで購入したりすることも、ストレス解消につながります。

気晴らしができる趣味であれば、それに打ち込むことも効果的でしょう。たとえば、昔からやってみたかった習い事をこの時期にはじめてみるのです。

患者さんのなかには、四〇代になってピアノのレッスンを再開した方がいます。小学校低学年まで習っていたものの、時間やお金がかかることから途中でやめてしまったそうです。再開したところ、「もともと好きだったピアノができる喜びとともに、ピアノを弾いているときはつい夢中で、無心になれるからいい」とのこと。

この「夢中」「無心」が、ストレス解消にはとても役立ちます。

四〇代からは仕事の悩みや家族の問題（親の介護や子どもの進学など）、将来の不安などを抱えやすい時期なので、三〇代のように、なかなか夢中で何かに取り組んだり、無心になることが難しい年代だといえます。

その結果、「布団に入っても家庭や仕事のことをつい考えて、寝つけない」「現実の悩みごとがそのまま夢に出てきた」といった症状が起きやすくなるのです。

②食材――アロマ効果、酸味

「気」のめぐりは、自律神経の働きに関係しています。ストレスがかかると自律神経が乱れ、結果的に気のめぐりも悪くなります。

自律神経のコントロールに効果のある食べ物としては、香りのよい食材があげられます。シソや春菊、クレソンといった野菜や、バジル、パセリ、香菜（別名シャンツァイ、パクチー）、ミントなどのハーブ類、クミンやカルダモンなどの辛くないスパイス類がおすすめです。

また、漢方の生薬《しょうやく》にも使われている菊花《きくか》や陳皮《ちんぴ》（みかんの皮）も気のめぐりをよくする効果があるといわれています。手軽に日常に取り入れるなら、菊の花の香りがやさしい菊花茶がいいでしょう。オレンジやペパーミントのハーブティー、ジャスミンなどの中国茶などは、アロマ効果によって気のめぐりがよくなります。

もし、あなたがイライラしていて、甘いものをむしょうに食べたくなったり、つい食べてしまっているとしたら、ストレスがかなりたまっていて、気が滞っているのかもしれません。

味覚のなかでは「酸味」がストレスによる気の滞りに効果的です。酸味を食材に取り入れることで、ついつい甘いものに手が伸びるのを抑えることができます。たとえば、お菓子を食べすぎているな、と感じたときには、お菓子を食べる代わりに、水で薄めた酢をおちょこ一杯分飲むことで、食欲の暴走を止めることができます。

酸味を代表する食材の梅干し、かぼす、レモン、すもも、さくらんぼ、りんごなどを積極的にとることも、甘いものの過食を防止する効果が期待できます。らっきょうは、漢方では「薤白《がいはく》」といって気のめぐりをよくする生薬《しょうやく》の一つで、「らっきょうの酢漬け」は酸味もあっておすすめです。

また、辛《から》いものの食べすぎにも注意してください。前述の香りの高い食材のなかのスパイスも「辛くない」ものをあげましたが、辛いものは気のめぐりに影響を与え、興奮しやすくなったり、怒りっぽくなる原因になります。

たとえば、漢方では「辛味」に属するお酒。適度なお酒は血行をよくして、冷えをのぞく効果があります。漢方でもお酒に漬けた生薬を使用したり、また、漢方薬のなかにはお酒と一緒に服用するものもあります。

しかし、四〇歳からは、お酒を飲みすぎると、「辛味（酒）」の過剰摂取↓気のめぐりの異常↓不調という流れができてしまいます。

お酒の飲みすぎに注意するとともに、おつまみに酢の物などの酸味のあるものを選んだり、お酒を酸味のあるフルーツ（グレープフルーツやレモンなど）で割るなど、酸味の食材をとると、飲みすぎがつくる不調を軽減する効果が期待できます。

③ツボ――「気」のめぐりをよくする

「気」のめぐりをよくするツボを次ページに紹介します。

●ツボの押し方

ツボを押すときは三段階くらいで徐々に力を強くして、五秒くらい「痛いけれど気持ちいい」程度の力で押します。その後、ふたたび三段階くらいで力を抜いていきジワーッと離します。これを五回くり返します。

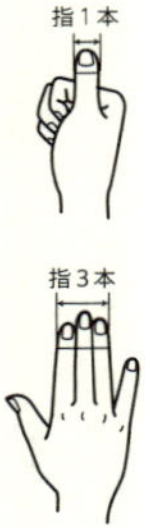
指1本
指3本

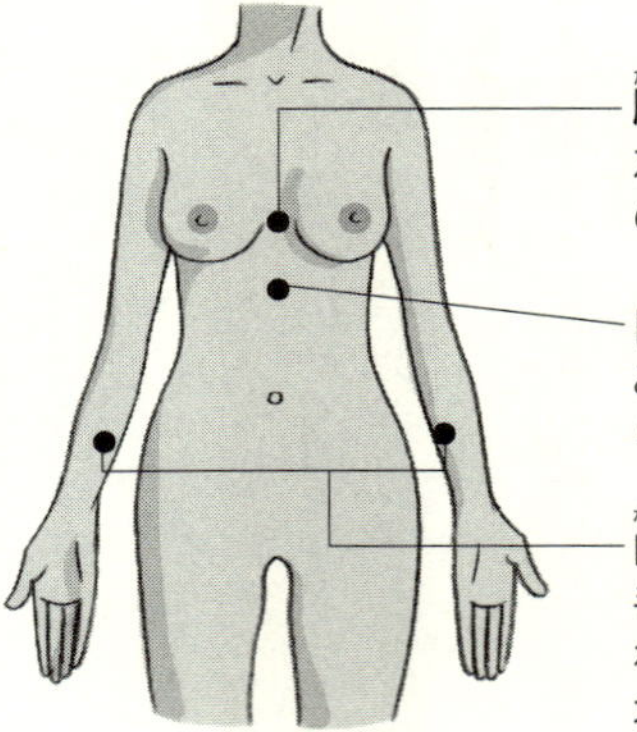
膻中《だんちゅう》
左右の乳首を結ぶ線の中央
巨闕《こけつ》
みぞおちのくぼみから指１本分下
内関《ないかん》
手首の内側にあるしわの中央から、指３本分ひじ寄り

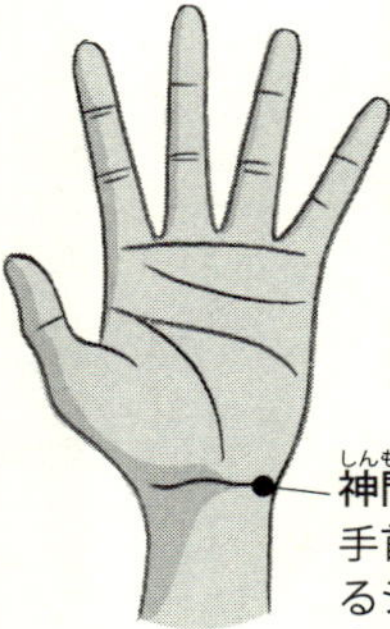
神門《しんもん》
手首の内側にあるシワの中央から小指側に指でこすっていき指が止まるところ

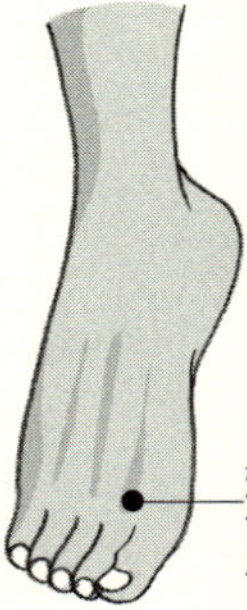
太衝《たいしょう》
足親指と人差し指の骨の分かれ目

閉経直前・直後期

第一章の「四〇歳～五五歳の『気・血・水』チェックリスト」で「気の異常」の項目に多くのチェックがついていて、「閉経準備期」の症状にはあまりあてはまる項目がなかった方は、次の症状を見てください。

それまでの人生では経験したことのない閉経準備期のいろいろな不調を経て、いよいよ閉経に近づくと、ホルモンの減少も著《いちじる》しくなり、次にあげるような、また別の不調を感じるようになります。そして、閉経を経ると、閉経の混乱を引きずりながらも、徐々に体内のホルモンなどの変化に対して脳が慣れてきて、症状がおだやかになっていきます。

この閉経直前・直後の時期に適切なコーピング術（対処術）をおこなうことで、五六歳からの人生もいきいきと楽しくしていきましょう。

不調チェックリスト

□一年のうち調子が悪い時期が長くなった（たとえば、これまで冬だけ調子が悪かったが、冬場を過ぎて五月まで調子が悪い）
□月経時だけつらかったカラダが、月経時以外でもつらい（疲れやすく、いつもだるいなど）
□少し動いただけですぐ疲れてしまう
□階段を少し上がっただけで息が切れる
□これまで簡単に持てた買い物の荷物が重く感じられ、腰が疲れる
□眠気が強くて、他人と話していても意識が遠くなって寝てしまうことがある
□夕食後に短時間だけ仮眠をとろうと床《とこ》についたが、気づいたら朝になっていた
□夜、いったん眠くなったら我慢《がまん》できず、夜更かしができなくなった
□横になりたいと感じることが多い
□最近、好きだった冷たい物を食べると腹痛や下痢《げり》になる

□辛《から》い料理を食べた後、胃に不快感を覚える
□脂《あぶら》っこいものが苦手になった
□いつも食べていた量が食べられなくなった
□温かい料理を食べてもカラダが温まらない
□寒さに極端に弱くなった
□風邪《かぜ》をすぐひくようになった
□風邪をいったんひくと治りにくい
□根《こん》を詰めるのがしんどい
□入浴してもカラダがなかなか温まらない
□入浴後、すぐにカラダが冷える
□肌《はだ》のたるみとシワが増えてきた
□耳鳴りがする
□疲れをとろうと長時間寝ようとしても、寝続けられない
□寝汗をかいて、夜中にシャツを何度も着替える
□性的な衝動《しょうどう》がほとんどない

不調の原因

この時期の症状は、「気（エネルギー）」自体が枯渇《こかつ》してしまっていることが原因となって起こります。第一章で説明した「老化の流れ」でいえば、「気」が「虚」の状態になっているのです。

日々の「気」の貯金がなくなってしまっているので、「気」をムダに使わないことに加え、こまめに「気」をおぎなうことが大切になります。

ただし、「気」はおぎなっただけでは十分でなく、おぎなった「気」をうまく体内でめぐらせるようにしないといけません。前項の閉経準備期で紹介した、「気」のめぐりをよくするためのコーピング術も引きつづきおこなってください。

カラダとココロのコーピング術（対処術）

①生活――質のよい睡眠をとり、胃腸をいたわる

●「気」の消耗《しょうもう》

働きすぎや睡眠不足は「気」をムダに使うことになるので、まずは禁物です。

逆に、いままで以上に休息の時間を増やすように心がけましょう。

また、性生活についても若いころと同じようにしていると、気が消耗《しょうもう》し、老化を早めます。四〇代になると、生殖《せいしょく》能力もおとろえてきて、性欲も落ち、性交渉の回数も減っていくのが自然なりゆきです。その流れに沿って、スローダウンするのが賢明です。

「気」をおぎなうには、まずは睡眠がいちばんです。「寝だめ」するのではなく、日々、十分な睡眠時間をとるとともに、質のいい眠りを手に入れるようにしましょう。

●胃腸の弱り

そのためには、胃腸の調子をととのえておくことが大切です。眠るにもエネルギーが必要です。

胃腸は、食べ物を吸収して「気（エネルギー）」を生み出してくれています。胃腸が弱っていると、ただでさえ「気」の貯蓄が少なくなっているなかで、飲食物をうまくエネルギーに変えることができなくなってしまいます。エネルギーが不足していると、ぐっすりと眠ることはできません。

胃腸をいたわる努力が大事になります。暴飲暴食や就寝直前に食べ物を口にすることはやめ、次項にあげる食材をとって、胃腸を大切にしてください。

『養生訓』でも、「胃の気とは、『元気』の別名である。病気が重くても、胃の気がある人は生きる。胃の気がない人は死ぬ」と書かれています。長生きの秘訣は、胃の気、つまり胃腸の働きを強くしておくことといえましょう。

●肌のたるみ

また、胃腸が弱いことは、肌のたるみにつながります。顔のなかでもたるみやすいのが、あごです。皮下脂肪《しぼう》が厚いため、筋肉がおとろえると支えきれなくなるのです。筋肉は、食べたものが消化吸収されてつくられます。そのため、胃腸が弱いと筋肉も弱くなります。

あごの筋肉は、食事やおしゃべりなどで、比較的多く使われていると思われがちですが、実際に動いている筋肉はごくわずかです。何もケアしないでいると、加齢にともなう老化で、肌は重力に逆らえずにたるんでいってしまいます。

②食材――甘味＋塩辛い味＋苦味《にがみ》

まず気をつけたいのは、「脂っこいもの・甘いもの・生《なま》もの・冷たいもの・辛《から》いもの」をとりすぎないようにすることです。これらの食材は、胃腸に負担をかけ、結果的に「気」を減らしてしまうからです。それぞれの最初の音をとって、「あ・あ・な・つ・か」と覚えてみてください。

選ぶべき食材としては、エネルギー自体が不足していますから、エネルギーを補給する、いわゆる「精がつく」食べ物があげられます。しかも、胃腸をいたわる必要性から、「胃腸にやさしい」ことも食材の条件として必須となります。

精をつけるためだけなら、ウナギもいいのですが、この年代にはウナギの脂分がかえって胃腸に負担をかけることになる場合もあります。胃腸は、やわらかいものや温かいもの、脂肪分の少ないもの、薄味のもの、刺激の少ないものを好みます。量は、腹八分目で。

逆に、硬いものや冷たいもの、脂肪分が多いもの、味の濃いもの、刺激のあるものは、胃腸が嫌います。野菜は生のままでなくやわらかく煮たり蒸したりし、冷や奴よりは湯豆腐で、消化がいい麺《めん》類もできれば煮込むなどして温かくして食べるといいでしょう。

そのほか食材としておすすめなのは、山芋《やまいも》やオクラ、納豆、なめこなどの「ネバネバ食品」です。

また、味覚では「甘味」が胃腸の働きを助けます。甘味には、黒砂糖やハチミツ、水飴《みずあめ》といった甘味料のほか、穀物や野菜、豆類など、日常の食べ物のほとんどが該当します。じつは、すべての食材を漢方でいう五味（甘い、辛い、塩辛い、苦い、酸《す》っぱい）に分類すると、七割は甘味に属するだろうとする文献もあります。

ただ、甘味の食材をとりすぎると、腎臓《じんぞう》に負担をかけるなどの弊害《へいがい》もあります。そこで、腎臓の働きをおぎなう意味で、甘味と一緒に、塩や味噌《みそ》、しょうゆなどの「塩辛い味」の食材をとるといいでしょう。

とはいえ、塩分が過剰になると、今度は血液循環、睡眠や物事の思考、判断に異常をもたらすと考えられています。塩分のとりすぎで血圧が上昇したりするリスクがある、ということです。

塩分のとりすぎによる弊害防止のためには「苦味《にがみ》」を投入しましょう。たとえば、塩を選ぶにあたっては、苦味成分の「にがり」が入った天然のもの、自然塩と呼ばれるものを選ぶようにします。

③ツボ——「気」をおぎなう

「気」をおぎなうツボを次ページに紹介します。

●ツボの押し方

ツボを押すときは三段階くらいで徐々に力を強くして、五秒くらい「痛いけれど気持ちいい」程度の力で押します。その後、ふたたび三段階くらいで力を抜いていきジワーッと離します。これを五回くり返します。

こんな病気に注意

「気（エネルギー）」の異常にともなう更年期の症状についても、「血《けつ》」に関する症状と同様、病気のために起こる症状とまぎらわしいものが少なくありません。

たとえば、動悸《どうき》がひどい場合は、不整脈や甲状腺機能亢進症《こうじょうせんきのうこうしん》（いわゆる「バセドウ病」）の可能性もあります。バセドウ病の場合は、発汗や皮膚のかゆみといった、更年期にあらわれるほかの症状とも重なります。

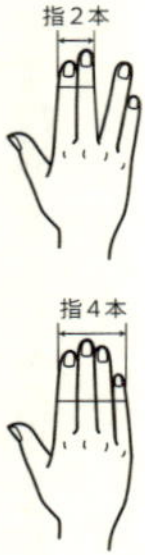

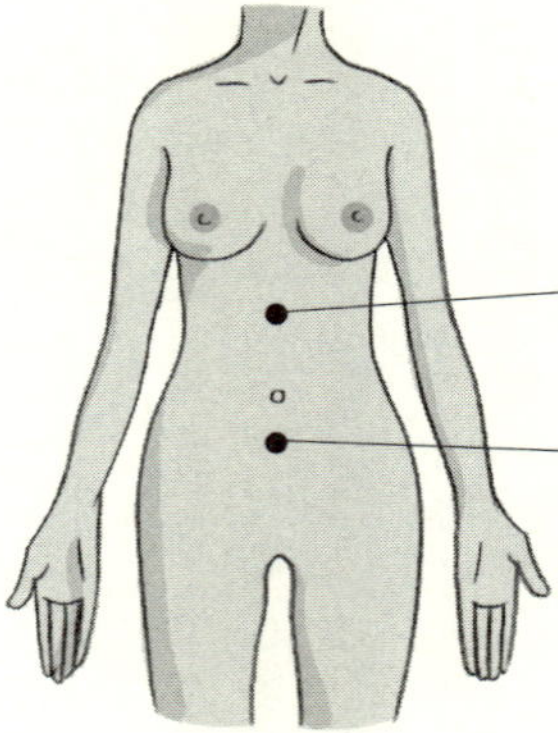

中脘《ちゅうかん》
みぞおちと
へその真ん中

気海《きかい》
へそから指２本分下

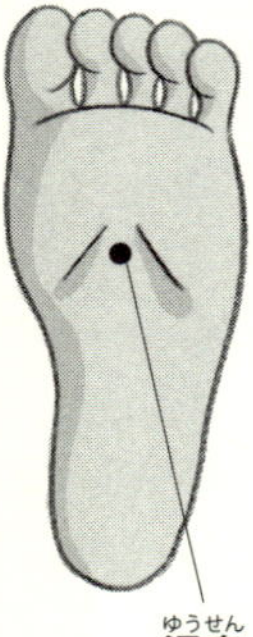

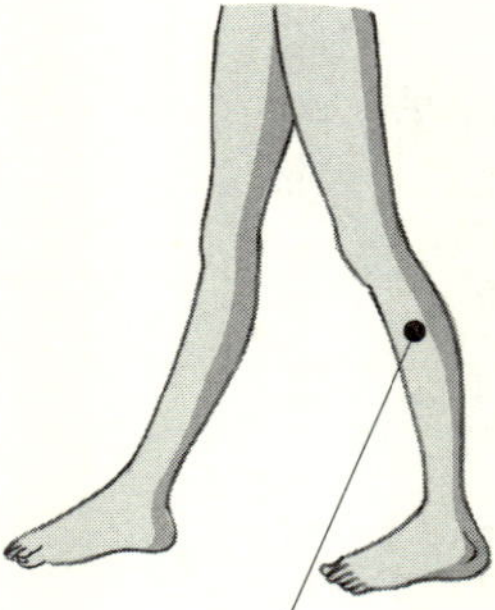

湧泉《ゆうせん》
足裏の中央よりやや
上、指を内側に曲げた
ときにへこむところ

足三里《あしさんり》
膝のお皿の下の外側のく
ぼみから、指４本分下

また、食べる量が少なくなったり、寒さに極端に弱くなったり、記憶力の低下が著しいと感じる症状は、甲状腺機能低下症（いわゆる「橋本病《はしもと》」）をわずらっている際にも起こります。

うつ病の場合は、憂うつで、だるく、何をするのもおっくうに感じたり、ちょっとしたことでイライラしたり、不安感を覚え、食欲も性欲もなくなっていきます。

また、うつ病まではいかないまでも、女性に多いのが、ほとんど一日中、気分が沈んで、疲れやすく、判断力が低下するといった症状が出る気分変調性障害や、情緒や行動が不安定で、社会生活に適応できなくなってしまう適応障害です。

こうした病気を見逃し、「更年期だから」と片づけてしまっては、取り返しのつかないことになりかねません。たとえばうつ病なら、「フッといなくなってしまいたい」と思い、自殺をはかる場合もあります。

気になる症状がつづき、だんだんと悪化するようなときには、医師の診察を受けることが大切です。更年期に出てくる症状は、いろいろな病気を早期に見つけ、治すきっかけにもなるのです。

第四章　「むくみがひどい」と思ったら

――「水」にかかわるカラダとココロの変化

問題はめぐりの悪さ

第一章の「四〇歳～五五歳の『気《き》・血《けつ》・水《すい》』チェックリスト」で「水の異常」の項目に多くのチェックがついた方は、こちらを見てください。

「気・血・水」の最後の「水」とは、胃液や唾液《だえき》、細胞間液、リンパ液、汗など、血液以外の体内の水分、つまり体液のことです。

三〇代までに感じる「水の異常」は、まぶたが腫《は》れぼったかったり、顔がむくんだり、顔に枕カバーのシワの跡がついていたりすることがたまにある程度のことでしょう。しかし、四〇歳からは、そうした現象が日常化したり、さらには関節が痛んだり、と症状が重く、多岐にわたります。

この「水」の異常（漢方では「水毒《すいどく》」といいます）によって、四〇歳から生じやすい典型的な症状を次にあげてみました。

不調チェックリスト

□起床時、顔に枕カバーのシワの跡がよくついている
□夜、水分を多くとると翌朝顔がむくんだり、目が腫れやすい
□普段はいている靴がきつく感じられることが多い
□靴下の跡が一日中ついている
□指の関節が痛い、こわばる
□歩くと股《こ》関節が痛い
□じっとしていても手足がビリビリと痛い
□正座をしていたわけでもないのに足がしびれる
□カラダ全体が重い感じがする
□頭が重い感じがする
□腰が重かったり、痛くなることが多い
□下半身が重く感じるようになった
□道を歩いていてもフワフワとした感じがする
□フワッとした立ちくらみが起きる
□天井が回転している感じがする

□めまいがしてベッドから起き上がれない
□トイレに行く回数が増えた
□トイレに行くのを我慢《がまん》できない
□夜中にトイレに行きたくなって起きる
□尿漏《にょうも》れする
□胃がムカムカして、嘔吐《おうと》しやすい
□飲み物を飲むと胃のあたりが張った感じがする
□暖かい所から寒い所に移動するとサラサラとした鼻水が出る
□軟便や下痢《げり》になりやすい
□特に汗をかいていないのに、一日二リットル以上の水分をとる

「水の異常」は、「水」のめぐりが悪かったり、「水」が多すぎたり、逆に不足していたり、といったことを総称しています。

「水の異常」による症状は、「血」や「気」の異常のような「閉経準備期」「閉経直前期」「閉経直後期」という、閉経を基準にした時期の区分よりも、個々人の

体質によるところが大きく、ここにあげた不調の数々は、四〇歳以上であれば、だれにでも起こりうるものです。

ですから、この章では、時期の区別をつけずに、「水の異常」による症状について、まとめて説明します。「水」の働きが悪いことで、「血」や「気」の異常にともなう更年期の症状がさらにひどくなりやすいので、「水」の働きをよくすることは、全般的な更年期の症状を緩和《かんわ》する意味で重要となります。

四〇歳からの「水の異常」は、体内での「水」のめぐりに偏《かたよ》りがあることが、おもな原因となります。つまり、水分が必要なところに行き渡っていない、もしくは、不必要に水分がたまりすぎている、という状態におちいることで、前述のような不快な症状が生じることが多いのです。

たとえば、女性のみならず、男性からの訴えも多い「めまい」。西洋医学での処方を受けてもめまいが止まらず、何年も苦しんでいる方が、漢方外来の門をたたくケースが結構あります。

めまいは、耳の奥の内リンパ水腫《すいしゅ》や耳石《じせき》の異常などが原因で生じることが多いのですが、脳腫瘍《のうしゆよう》などが背景にある場合も考えられます。まずは、検査をしてみる必要があります。ただ、血液検査や耳鼻科的な診察、脳神経外科の画像診断などでも明らかな異常がない場合も多く、また「心の病気では」と、精神科や心療内科に回されることもあります。

漢方の治療にあたっては、検査値の異常の有無にかかわらず、めまいに対して「水の乱れ」を調整する処方をほどこすことがあり、その結果として症状が軽減した、という症例が多数あります。

四〇歳からは、これまでも説明したように、体内の状態を一定に保つホメオスタシス（一一六ページ参照）が乱れやすくなり、水分のめぐり方についても例外ではありません。

漢方医学では、耳に「水」が滞《とどこお》るとめまいが起こり、カラダ全体に「水」がたまるとカラダが重く感じ、お酒などの「水」をとりすぎると脳がむくみ頭痛がすると考えます。逆に、「水」が足りなくなると、喉《のど》が渇きます。

腰や膝《ひざ》の痛みも、「水」のめぐりが悪いことが原因となって起きることが多いと考えるのです。

胃腸虚弱《きょじゃく》で水はけの悪いカラダに

「水」の異常を生じやすい人には、胃腸が弱い人が多いです。「胃腸」と「水」とは、結びつきにくいかもしれませんが、両者はとても関係が深いのです。

胃腸が弱っていると、水分や食べたものをうまく消化できません。そのため、吸収されなかった水分がたまって、めまいやむくみなどの症状が出ます。

四五歳になって、突然めまいに悩むようになった女性の患者さんがいました。彼女は耳鼻科に行っても原因がわからず、私の勧めるクリニックへ来院されました。スポーツクラブでインストラクターをしていたので、日ごろから運動量も多いほうで、自他ともに、「同年代のなかでは健康」と認識していたために、「ひどいめまいが起きたときには、とてもショックだった」とのこと。

診察の結果、彼女は、胃腸の調子が悪かったことから、めまいが生じていたことがわかりました。胃腸を強くする漢方薬とともにお灸《きゅう》を併用し、時間的にハードだったインストラクターの仕事のスケジュールに少し余裕をもたせることなどに配慮した結果、めまいが軽減していきました。

女性であれば、むくんでいるかどうかは、パンプスを履くときなどに、「いつもよりも、「きついな」という感覚でわかるかと思います。ほかにも簡単に把握《はあく》できる方法を紹介しましょう。

口を開けて舌を突きだして、鏡を見てください。舌の両側にギャザーを寄せたようなギザギザがついていれば、むくんでいる証拠です。そのギザギザは、じつは自分の歯形なのです。

前日にコーヒーを飲みすぎたのか？　寝る前のビールが原因か？　はたまた寝不足か？

いずれにしても、カラダが処理しきれない量の水分をとったために、カラダがむくみ、舌も元の大きさよりもむくんでいるので、歯列からはみ出した舌の部分に歯が押しつけられて跡がついている可能性があります。

健康な人の舌にはギザギザはつきません。

しかし、健康な人であっても、加齢とともに胃腸は弱っていきます。さらに、必要以上に水分をとりつづけていると、結果的に胃腸虚弱となり、いずれ舌にギザギザを見つけることになるでしょう。

また、あなたの舌が頻繁にギザギザ状態になるにもかかわらず、めまいという症状を自覚していない場合も油断はできません。

あなたは、すでにめまいで悩んでいる人と同じように、「水はけの悪いカラダ」、つまり「水分代謝《たいしゃ》の悪いカラダ」になっているのです。いまのままの食生活をつづけていると、いずれめまいを覚える危険性が高いのです。

水はけが悪いカラダは、胃もむくんでいますから、水分だけでなく食べ物もうまく消化吸収できない状態です。体内で食物からエネルギーをうまくつくれないでいれば、体力が低下していくのは明らかです。

つまり、「腰が重い」「車酔いしやすい」「めまいがする」などという症状の背後にある、「水」の問題に対する適切な養生《ようじょう》をしないと、「気」にも悪影響を及ぼしてエネルギーが枯渇《こかつ》し、結果的に老化を早めてしまうのです。

冷え症も胃腸の悪さから

舌のギザギザと同様、自分のカラダの水はけが悪くなっているかどうかを知るにあたって、「冷え」の度合いも一つの指標になります。

「冷え」は、夏でも手足が冷えやすかったり、寝るときにソックスが欠かせない、といった自覚症状がある場合もありますが、「冷え」を自覚していない人も少なくありません。

また、自覚症状があり、つらさを感じていても、甲状腺《こうじょうせん》の異常や貧血、低血圧など、はっきりした原因がわかったうえで病名がつく場合は、西洋医学の治療対象となりますが、検査値で異常値が出ない場合（結構、多いです）は、治療対象となりません。

一方、漢方では、「冷え」を「冷え性」とはいわず、「冷え症」ということからわかるように、「冷え」は立派な治療対象です。

「冷え症」とは、単に冷たい感覚をともなう自覚症状だけでなく、「気・血・水のめぐりが悪くなったり、五臓《ごぞう》（肝《かん》、心《しん》、脾《ひ》、肺《はい》、腎《じん》）の働きのバランスが崩れた状態」ととらえます。

そのため、内臓の一つである胃腸（五臓でいう「脾」）の働きが悪いと、水はけの悪いカラダ（水毒）になるだけでなく、食べたものをエネルギーである熱に変える働きも悪いので、冷え症をともないやすくなります。

「冷え」自体も「水」のめぐりを悪くするので、四〇歳からは、「胃腸」と「冷え」の両方のケアを大事にする必要があります。

「自分では冷えているかどうかがわからない」という患者さんに対しては、たとえば、「お風呂で湯船につかったすぐ後にトイレに行きたくなるときはありませんか」と尋ねます。さらに、「お風呂の後で実際にトイレに行ったら、透明に近い尿が出ませんでしたか」とも。このような問いがあてはまるようでしたら、それは、冷えてカラダに余分な水分がたまっていた証拠です。

こんな「冷え」を放っておいては、カラダのむくみや関節の痛みなど、「水」のめぐりが悪いことで生じる不快な症状が自然と悪化していってしまいます。「冷え」は、水分代謝が悪くなっていることのサインです。

また、第一章で説明したように、加齢とともにカラダは「陽から陰へ」移行していくので、特に四〇歳からは、意識的に「冷え」対策をすることが重要といえます。

胃腸ケア

不調の原因

胃腸も当然のこと、加齢によって老化します。その機能はおとろえ、働きが悪くなるのです。老化の二つの流れでいう「虚」の状態に向かっていきます。

しかも、若いころに、「いくら暴飲暴食してもなんともない、胃は丈夫」という人は、四〇代からはかえって要注意です。若いうちは調子がよくても、好きなだけ飲んだり食べたりしていると、ある日突然、カラダのなかで破綻《はたん》が起きてしまうことも少なくありません。

カラダとココロのコーピング術（対処術）

①生活——水分のとりすぎに注意する

「水はけの悪い」カラダへの対処にあたっては、まずは胃腸を強くすることです。胃腸を強くすれば、消化吸収が高まり、飲食物がエネルギーにうまく変化し、体内で熱がつくられることで「冷え」の解消も期待でき、一挙両得といえます。

加齢とともに胃腸の機能自体がおとろえているなかで、胃腸を強くするためには、①働きすぎや睡眠不足は禁物、②いままで以上に休息の時間を増やす、③飲食は腹八分目、が基本です。

●水分の腹八分目

特に、「水分の腹八分目」という感覚は、なかなかわかりにくいかもしれません。一般的に成人の一日の飲水量は、約一・二リットルとなります。ちなみに、体重の〇・五パーセント（体重五〇キログラムの人ならば二五〇ミリリットル）に相当する水分が失われると、「喉の渇《かわ》き」感が起こります。

約一・二リットルとは、二〇〇ミリリットルのコップなら、だいたい六杯から七杯。食事のたびに、味噌《みそ》汁やお茶、コーヒーなどでコップ三杯くらいは飲んでいますから、特に汗をかくような運動をしない場合の一日の適量は、結構少ないものです。知らず知らずのうちに、水分のとりすぎになっている人が多くみられます。

反対に、最近では、トイレに行きたくないからといって、ほとんど水分をとらない人もいます。これも、「水」の異常の一つ、水分が必要なところに行き渡っていない、という問題が生じます。「一日一リットル」を目安に、まずは意識して、水分調整をしてみてください。

「水分の腹八分目」を実行したうえで、ご自分の体調を感じてみて、一日の水分量を増やしたり、減らしたりするのもいいでしょう。ただし、スポーツで汗を大量に流した日や、暑い季節や乾燥している部屋などでは、カラダは普段より水分を必要としているので、「一日一リットル」ルールの限りではありません。

●四〇歳からの水飲み健康法

また、美容に関する本に、「美容やダイエットのために、お水をたくさん飲みましょう」などといった記述をよく目にします。水をたくさん飲むことで、体内の悪いものが外に出ていき、新陳代謝《しんちんたいしゃ》がうながされ、腸《ちょう》の動きを刺激するといった効果をうたっています。

たしかに、カラダが吸収できない水分であっても、汗や尿として体外に排出できれば問題はありません。しかし、四〇歳からは、その余分な水分が、内臓の機能低下とともに、なかなか汗や尿としてうまく外に出ていかなくなってしまい、体内にたまってしまうことです。

その原因の一つに、胃腸が弱くなっていることをあげました。普段から腰痛に悩んでいる人は、胃腸の働きが悪いために「水」のめぐりも悪く、くわえて、筋肉の質も低下しています。こうした症状がある人や胃がムカムカして気持ちが悪いような人が、「カラダにいいから」と、水分をガブガブ飲めば、それがいくら「カラダにいい水」や「健康茶」であっても、かえって水分代謝が悪くなり、体調を壊す原因になりかねません。

四〇歳からの「水飲み健康法」は、これまでの「ガブガブ飲み」から、喉をうるおす程度の「ちょろちょろ飲み」に切り替えて、自分の胃腸の調子と相談しながら、実践《じっせん》することをおすすめします。

ちょろちょろ飲みでも、冷たい飲み物の場合は、胃腸に負担をかけ、水分代謝を悪化させます。

また、水分がほしくなるような、辛《から》いものやしょっぱいもの、濃い味つけの食品などの食べすぎにも注意しましょう。

②食材——豆類

小豆《あずき》や大豆、豆腐、豆乳、グリンピースやえんどう豆、ピーナッツ（落花生）などの豆類は、食物繊維が豊富で、利尿作用に加えて、消化吸収や排泄《はいせつ》をうながすといわれ、水分代謝をととのえ、胃腸の働きを助けます。

冬瓜《とうがん》やきゅうり、西瓜《すいか》なども、利尿効果が高く、体内の余分な水分を排出して水分調整に役立ちます。ただ、食材が冷えていると胃腸に悪いので、冷やさない・冷やしすぎないことが大事です。また、それらにはカラダの熱を冷ます作用もあるので、カラダを温める食材（一八四ページ参照）と組み合わせるようにしましょう。この、熱をとる作用は、健胃効果があるといわれる生《なま》の大根にもあるので、要注意です。

このほかのおすすめの食材としては、銀杏《ぎんなん》、そば、粟《あわ》、春雨、もやし、ハトムギ、アロエ、アスパラガス、レタス、トマト、ねぎ、ニンニクの芽、玉ねぎ、フキ、ウド、もずく、わかめ、ひじき、昆布《こんぶ》、アサリ、サザエ、ハマグリなど。果物では、みかんや柚子《ゆず》、キウイフルーツ、梨、マンゴー、メロン、アンズ、桃、さくらんぼ、すもも、ぶどうなども水毒の解消に効果が期待できます。

③ツボ——「水」のめぐりをよくする

「水」のめぐりをよくするツボを次ページ～に紹介します。

●ツボの押し方

ツボを押すときは三段階くらいで徐々に力を強くして、五秒くらい「痛いけれど気持ちいい」程度の力で押します。その後、ふたたび三段階くらいで力を抜いていきジワーッと離します。これを五回くり返します。

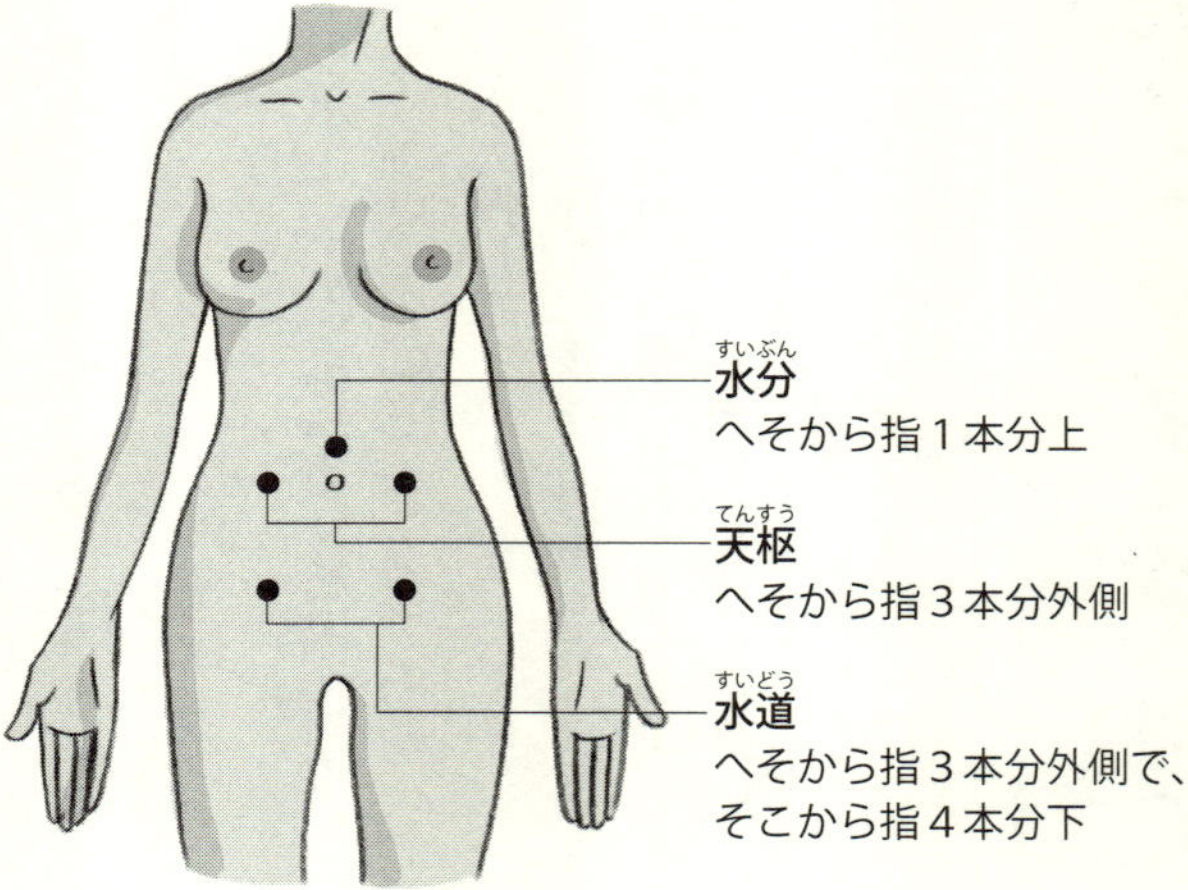
水分《すいぶん》
へそから指１本分上
天枢《てんすう》
へそから指３本分外側
水道《すいどう》
へそから指３本分外側で、
そこから指４本分下

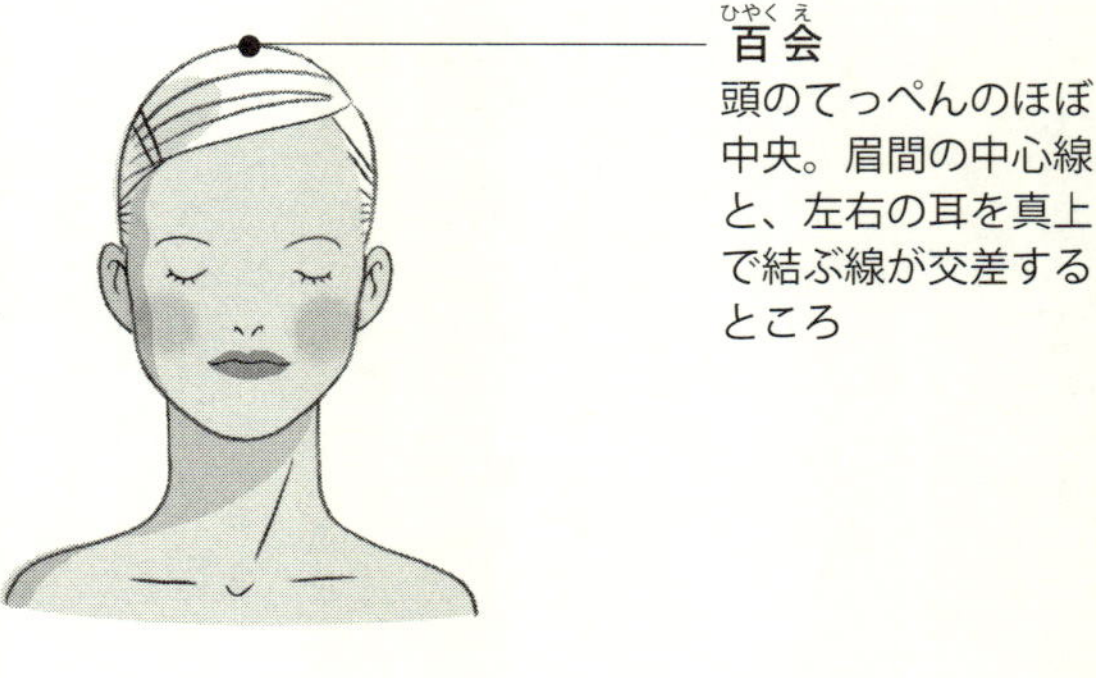
百会《ひゃくえ》
頭のてっぺんのほぼ
中央。眉間の中心線
と、左右の耳を真上
で結ぶ線が交差する
ところ

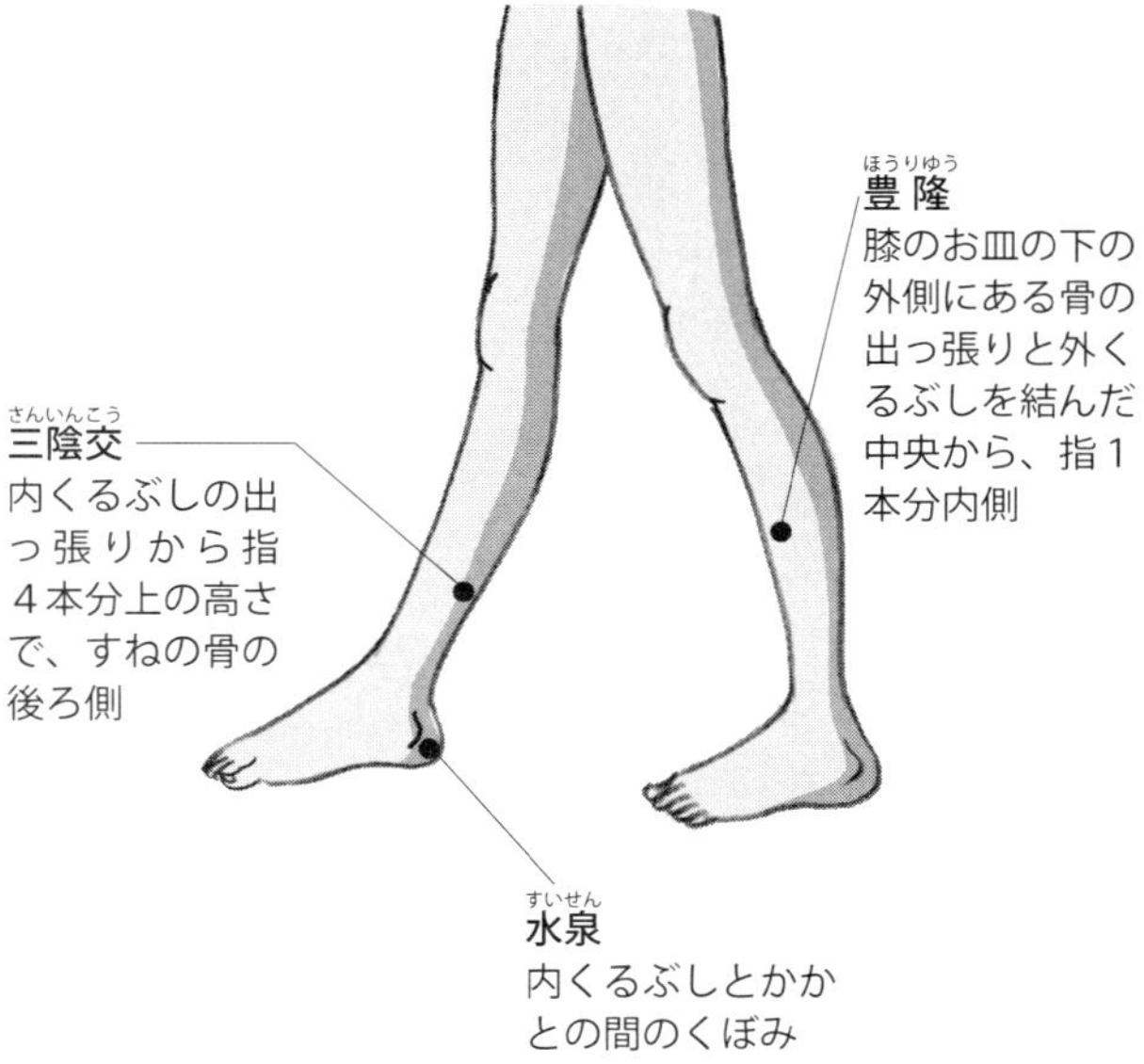
豊隆《ほうりゅう》
膝のお皿の下の外側にある骨の出っ張りと外くるぶしを結んだ中央から、指１本分内側
三陰交《さんいんこう》
内くるぶしの出っ張りから指４本分上の高さで、すねの骨の後ろ側
水泉《すいせん》
内くるぶしとかかとの間のくぼみ

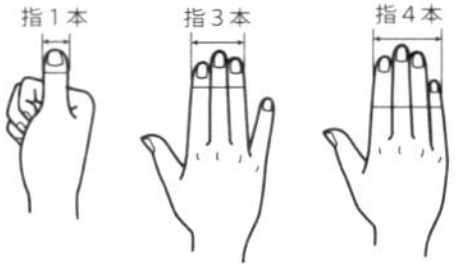
指１本
指３本
指４本

「冷え」ケア

不調の原因

加齢による老化によって、カラダは「熱のある状態（陽）」から、「冷えている状態（陰）」に向かいます。四〇歳から五五歳までは、「陽」から「陰」への過渡期を経て、完全な「陰」に足をかける段階といえます。

手足の「冷え」に加えて、風邪《かぜ》をひいたときのように「ゾクゾクする」といった、全身の「冷え」を感じるようになるのが特徴です。

冷えたカラダは、全身の新陳代謝が落ちている状態でもあるので、風邪をひきやすくなるなど、免疫《めんえき》力も低下します。

カラダとココロのコーピング術（対処術）

①生活――冷えないカラダづくり

「冷えは万病のもと」といわれています。逆に、「冷え」を解消すれば、水分代謝の改善が期待できるだけでなく、さまざまな不調の解決にもつながります。

●カラダを外から温める

「冷え」を解消するにあたってはまず、カラダを物理的に温めるなど、外からできることをおこなってみましょう。

重ね着をしたり、首にまくストールや肩にはおるショールを持ち歩いたり、腹巻きをするのも効果的です。カイロを常備しておくのもいいでしょう。

いくら重ね着をしても寒いという人は、衣類にカイロを貼るといいでしょう。いまは使い捨てカイロのほかに、何度でも使えるカイロもあります。寝るときに足もとが寒い場合は、湯たんぽを活用すると、手軽に温まります。

逆に、きつい下着やきつい靴、ハイヒールは、血液循環が悪くなり、カラダを冷やすことになるので要注意です。

お風呂はシャワーですまさず湯船につかりましょう。お風呂場から出る間際に湯船の温度よりも低いぬるま湯や冷水を浴びると、皮膚の汗腺《かんせん》の穴がしまり、湯冷めしないといわれています。

●熱をつくり出す

また、自分自身でも熱をつくり出すことのできるカラダづくりをしましょう。外からカラダを温めるだけでは限界があります。じっとしていては、どんな人でも血行はよくなりません。

朝起きたときや入浴後、夜寝る前などに、手や足をマッサージしたり、ストレッチや屈伸《くっしん》運動などでカラダを動かすと、血液などの循環がよくなってカラダが温まります。

運動によって、カラダに筋肉をつけることも欠かせません。筋肉は、カラダの約六割の熱をつくり出しています。その筋肉が少なければ、カラダを温めること自体が難しくなります。

ただ、運動といっても、四〇歳からは気をつけてほしいものもあります。

たとえば、水泳や水中運動などは、たとえ温水プールであっても、水がカラダの熱を奪《うば》い、「冷え」を助長してしまう可能性があります。運動後に温かいお風呂につかるなど、アフターケアに気をつけましょう。

②食材――生野菜・果物をひかえる

前項のカラダの外からの対策に合わせて、カラダの内側からの「冷え」対策もおこなうと、相乗効果が期待できます。

まず、生ものや生野菜、果物（特に南国原産のもの）を食べすぎないようにすることです。

薬膳《やくぜん》料理の基本に、「食材にはカラダを温めるものと冷やすものがある」という考え方があります。これに沿って分類すれば、ショウガやニンニク、アンズ、シナモンや、寒い季節や寒冷地域でとれる食材、精製されていない黒砂糖などはカラダを温めるといわれています。

一方で、レタスやトマト、パパイヤや、暑い季節や温暖な場所でとれる食材、精製されている白砂糖などは、カラダを冷やします。

黒砂糖、白砂糖の違いについて補足します。

一般的に、精製されているものほど、カラダを冷やすといわれています。白砂糖には、ビタミン類やミネラル類がほとんど含まれておらず、おもに糖質から成っていて、消化吸収にあたっては、逆にビタミンやカルシウムが必要です。閉経後の大敵である肥満のもととなり、体内のビタミンやカルシウム不足の原因ともなります。

一方、黒砂糖には、糖質を体内で利用・燃焼するために必要なビタミンやミネラル分が豊富に含まれています。

中華料理のメニューには、もともと生野菜やサラダはなく、日本料理も、野菜料理といえば、煮物やおひたしが基本でした。食事の際には、この原点に戻ってみることも、四〇歳からの「陰」に向かっている年代には必要なことではないでしょうか。

●カラダを温める食材

【穀物類】もち米

【豆類】いんげん、納豆

【野菜類】油菜、からし菜、シソ、高菜、ニラ、ニンニク、ニンニクの芽、ねぎ、

パセリ、フキ、よもぎ、かぼちゃ、唐辛子、らっきょう、ショウガ、玉ねぎ、うど

【きのこ類】まいたけ、マッシュルーム、ひらたけ

【果物類（水果）】アンズ、さくらんぼ、ざくろ、ネーブル、桃、山桃、ライチ、きんかん、ココナッツ

【果物類（干果）】カカオ、栗、くるみ、ナツメ、干し柿

【その他】黒砂糖、山椒《さんしょ》、コショウ（黒）、シナモン、ベニバナ、紅茶

●カラダを冷やす食材

【穀物類】大麦、小麦、小麦粉、そば、粟《あわ》

【豆類】緑豆《りょくとう》、豆腐、春雨（原料＝緑豆）

【野菜類】アスパラガス、クレソン、セロリ、せり、ほうれん草、三つ葉、アロエ、きゅうり、白瓜《しろうり》、冬瓜《とうがん》、トマト、なす、ミョウガ、くわい、ごぼう、たけのこ、レタス、ふきのとう、わらび、ぜんまい、金針菜《キンシンサイ》、大根

【果物類（水果）】オレンジ、グレープフルーツ、みかん、柿、アボカド、キウイフルーツ、バナナ、パパイヤ、マンゴー、西瓜《すいか》、梨、メロン

【乳・卵類】バター、卵白（鶏卵）
【その他】白砂糖、緑茶、麦茶、ターメリック（ウコン）、ミント（ハッカ）

③ツボ――「冷え」対策

「冷え」対策のツボを紹介します。

●ツボの押し方

ツボを押すときは三段階くらいで徐々に力を強くして、五秒くらい「痛いけれど気持ちいい」程度の力で押します。その後、ふたたび三段階くらいで力を抜いていきジワーッと離します。これを五回くり返します。

こんな病気に注意

更年期における「水毒」の症状と似た病気について、「血」や「気」に関する症状と同様に説明します。

まず、肩に痛みを感じたり、腕が上がらないためブラウスが着られない、といった症状は、関節周囲が炎症《えんしょう》を起こしているために起こります。それこそ、四〇

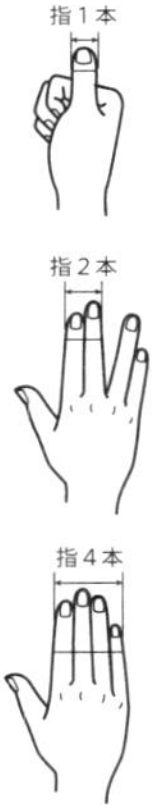

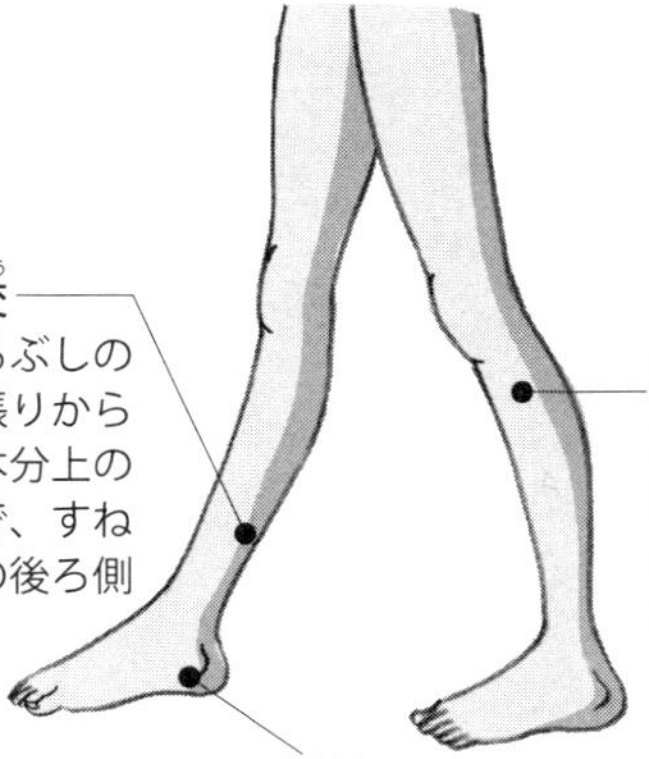

三陰交《さんいんこう》
内くるぶしの出っ張りから指４本分上の高さで、すねの骨の後ろ側

足三里《あしさんり》
膝のお皿の下の外側のくぼみから、指４本分下

照海《しょうかい》
内くるぶしのてっぺんから指１本分下

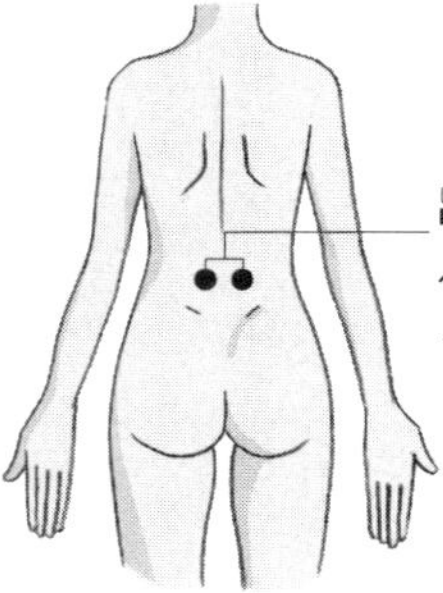

腎兪《じんゆ》
へその真後ろから指２本分外側

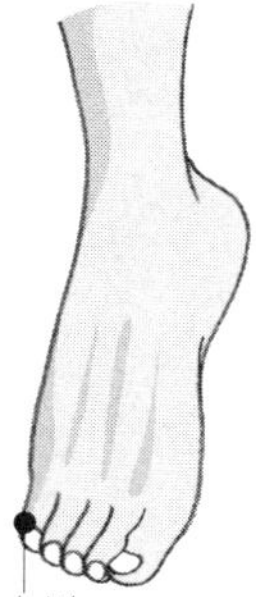

至陰《しいん》
足の小指の爪の生え際の外側

代から起きるので、「四十肩」や「五十肩」と呼ばれています。

また、圧倒的に女性に多い、骨密度（骨塩量）が減少して骨に鬆《す》が入ったような状態になる骨粗鬆症《こつそしょう》は、背中の痛みや腰痛をともないます。

初期にはこれといった症状がありませんが、進行すると、圧迫骨折が起こり、背部痛や腰痛を自覚するようになります。女性は男性と比べて、体質的に骨量が少なく、授乳でカルシウム不足になりやすい、といったことが関係しているといわれています。

首の痛み、手のしびれなどがあるときは、変形性頸椎症《けいついしょう》や頸椎椎間板《けいついついかんばん》ヘルニアが、めまいや耳鳴り、音が聞こえづらくなったりする症状は、メニエール病や突発性難聴が考えられます。

「トイレに頻繁に行っているから、水はけがいい」と思うのは早計で、頻尿《ひんにょう》にともない残尿感や排尿時に痛みがある場合は膀胱炎《ぼうこうえん》の可能性もあります。

トイレに行く回数が増えるばかりか、トイレに着くまで尿が我慢できない、尿漏れするといった症状は、尿失禁という病気です。

なかでも女性に多い腹圧性失禁は、エストロゲンの減少とともに尿道粘膜《ねんまく》と尿道筋肉がおとろえるという生理的な現象が原因ではありますが、症状がつらい場合は、治療を受けることをおすすめします。

背中の痛みや神経痛などは骨髄腫瘍《こつずいしゅよう》、ふらつきを覚えたり頭痛がひどいときは脳腫瘍《のうしゅよう》、特に女性はくも膜下《まくか》出血といった、命にかかわる病気の疑いもあります。

第五章　女五六歳からの先手必勝ケア

混乱期から安定期へ

第二章から第四章までは、四〇歳～五五歳の女性の心身に訪れる、カラダとココロの変化にともなう対処法について説明してきました。この章では、さまざまな変化や不快な症状の経験を経た、五六歳以上について記《しる》します。

五六歳からのカラダとココロは、「安定期」に入ります。それまでの一〇年間(更年期《こうねんき》)は、女性ホルモンのエストロゲンの急激な減少に対して、カラダが元の状態に戻ろうと必死に調整しようとするも、調整が追いつかなかった「混乱期」といえます。

しかし、五六歳を過ぎると、徐々に脳が「もう、元の状態に戻さなくてもいいんだ」とわかってきて、カラダはホルモン減少にうまく適応していけるようになります。

その一つの現象が閉経です。

何度か説明しましたように、卵巣《らんそう》の機能が低下すると、卵胞《らんぽう》の反応が悪くなり、さらに加齢による老化で卵胞の数自体も減っていきます。

この変化に対し、最初は、脳が卵巣を刺激しつづけることで、卵胞は時間をかけながらも発育をつづけ、サイクルが長くなりながらも月経は起こります（稀発《きはつ》月経）。が、とうとう卵胞が反応せず発育しなくなると、排卵ができずに月経は起こらなくなります。これが、閉経です。

ただ、閉経直後は、まだ脳による卵巣刺激が完全になくなるわけではないので、不調を引きずりますが、エストロゲンの減少にカラダが慣れてきて、体調も落ち着いていきます。

五六歳は、漢方でいう女性の「七年ごとの変化」では、ちょうど七の八倍。七の七倍の四九歳前後で閉経した後の、妊娠をしない時期にあたります。

閉経を迎えると「もう、女性ではない」と、ネガティブに考える人もいます。たしかに、生殖《せいしょく》能力はなくなります。しかし、女性にとって前向きな要素も少なくありません。

仮に、それまでのあいだ、いわゆる「更年期障害」に悩まされていたのなら、日本人の閉経の平均年齢は四九・五歳（中央値は五〇・五歳）ですから、閉経から五年経って更年期が終わる五五歳前後を機に、つらい症状が徐々におさまっていきます。

更年期の苦しさから解放されることも多く、また妊娠の心配がなく性交渉をもてるという面もあります。

たとえば、子育てに追われていた女性なら、五六歳を過ぎれば、お子さんも独立しているころでしょう。五六歳からの女性には、自分の時間を大いに楽しんでほしいと思います。

「こまめ＋先手必勝」ケア

ただ、「安定期」に入ったとはいえ、三〇代のピーク時の体調のよさと、五六歳からの体調は明らかに違います。加齢によって確実に進んだ老化の影響が、個人差はあるものの、まったくないという人はいないものです。

そのため、五六歳からは、この年代に見合ったカラダとココロのケアが必要になります。

五六歳からの特徴は、老化の二つの流れである「陽《よう》から陰《いん》へ」「実《じつ》から虚《きょ》へ」が行き着いた「陰」と「虚」による症状があらわれることです。

「気《き》・血《けつ》・水《すい》」についても例外ではありません。エネルギーが不足する（気虚《ききょ》）と疲れやすく、すぐに横になりたくなります。血液が不足する（血虚《けつきょ》）とカラダ全体が乾燥します。

そのため、この年代のケアは、「気・血・水」という区分よりも、完全なる「陰」と「虚」を念頭におくことになります。

ポイントは、こまめに、早め早めにケアする「こまめ＋先手必勝」ケアです。五五歳までのケアの特徴は、「ためこまないで、こまめにケアする」ことでした。五六歳からは、臓器の予備能力も低下しているので、「こまめ」にプラスαが必要になるのです。

この年代は、老化の波の下降線がはっきりしている以上、現状を維持《いじ》するだけでも、老化の波をなだらかにすることになります。たとえば、免疫《めんえき》力が弱ってきているなかで、風邪《かぜ》をひかないで暮らしつづけるだけでも、じつはプラスの効果があるのです。

別のいい方をすると、いったん風邪をひいてしまうと、こじれやすく、治りにくい年代なので、風邪をひかないようにケアするだけでも、カラダへの負担を軽減できるのです。

そのためには、「こまめ」に加えて、「早め早め」にケアをすることが大事です。「風邪をひかないためには、日ごろから規則正しい生活を送るとともに、「風邪をひきそうだな」と察知したら、そのままにせずに、その段階で早めに寝床につき、いつもより十分な睡眠をとるようにしたり、胃腸にやさしい食事を意識的にとるなどして、本格的に風邪にかかってしまうことを防ぐのです。

「こまめ」なケアに加え、こうした「先手必勝」ケアを心がけることで、五六歳からの老化の波は、だいぶなだらかになっていくことでしょう。

ここでは、「こまめ＋先手必勝」ケアのポイントとなる、「陰」「虚」についての具体的なケア方法について説明します。

ケアの差で違いが出る年代

私がこの年代の患者さんを診《み》ていて思うのは、「年齢を重ねれば重ねるほど、適切なケア次第で結果が大きく変わる」ということ、つまり「適切なケアの大切さ」です。

前述したように人間は、気候や季節などの自然環境や、職場での人間関係、社会環境などの変化に対して、自ら調整する力をもともともっています。これを、ホメオスタシス（一一六ページ参照）といいます。

しかし、年齢を重ねるごとに、こうした「変化」に対して、心身がなかなか速やかに反応できなくなっていき、その結果として、不調を訴える機会も多くなります。

若いころは、多少の無理や無茶な行動であっても、自ら調整することがある程度可能なので、ケアをしたとしても、その効果に程度や個人差があまり出にくいものです。しかし、年齢を重ねていくと、ケアをしたか、しないか、適切なケアだったかどうか、によって差が歴然と出ます。

たとえば、シワを目立たなくさせる効果があるとうたう化粧品があるとしましょう。いまや、二〇代でもこうした化粧品に関心がある女性もいますが、二〇代の場合、一般的には「シワ」が目立つのは珍しいことです。ですからこの年代で、シワ対策の化粧品を使っても、価格や内容成分の違いで、大きな差が出ることは期待しにくいのです。もともと、深く面倒なシワがないわけですから。

しかし、年齢を経た女性、特に「陰」や「虚」の状態にある五六歳からの女性となると、まったく話は違います。化粧品によって、効果が感じられるものと、感じられないものとの差がはっきりとしがちです。

また、自分で適切なケア、たとえばマッサージを数分でも毎日やっている人と、まったくやっていない人とでは、やはり差が歴然と出ます。

年齢を重ねれば重ねるほど、適切なケアが必要であり、そしてケアをすればするだけの効果が、若いころ以上に期待できるといえるのです。

しかし、やみくもに、何のルールも戦略もなくケアをしていては、かえってマイナス効果になりかねません。あくまでも「適切な」ケアを身につけることが重要です。

「陰」へのケア

不調の原因

五六歳以上は、老化の二つの流れのいずれも最終段階に近づいています。まず、「陽から陰へ」の流れについては、基礎体温が低く、その低温期が長くなり、カラダは冷えやすくなります。

日ごろから基礎体温をつける習慣のある人なら、体温の上下の差がだんだん少なくなり、低温期が長く高温期が短くなったり、低温期も高温期も短いなど、低温期と高温期ともに基礎体温が乱れだすのがわかるでしょう。そうなると、そろそろ閉経間近といえます。実際に閉経になると、基礎体温は低温期のみとなります。

女性はもともと筋肉量が男性よりも少ないため、冷えやすいといわれています。「冷えは万病のもと」と、すでに書きました。特に五六歳を過ぎたら、「冷え」つまり「陰」に対するケアを意識しておこなうようにしてください。

カラダとココロのコーピング術（対処術）

①生活――冷えない工夫をする

●「冷え」をふせぐ

首や肩、背中、おへそ回り、腰、膝《ひざ》、足首など、「冷え」が体内に入り込みやすい部分をふさぎ、温めるようにします。

夏であっても、外出時には羽織るものを持参するなど、冷房対策は忘れずに。くれぐれも、冷える場所で長時間過ごすことがないように気をつけてください。

食器を洗うときや掃除の際に、冷たい水をできるだけ使わないようにするなどの工夫も大切です。お湯を使うと、手指から脂分が取られてカサカサしてしまうので、ビニール手袋をはめるなどして、直接お湯に触れないようにするのも一案です。

患者さんのなかには、手に保湿クリームを塗《ぬ》って、その上に手袋をはめて、お湯で洗い物をしている人がいます。お湯の温度でクリームが手になじみ、「洗い物をしながら手のパックをしているようです」と効用を語っていました。

また、寒い時期は、脱衣所やトイレに暖房を入れると、湯冷め対策になり、夜中にトイレに起きても「冷え」から逃れることができます。

●入浴・足浴

お風呂はシャワーですまさず湯船につかり、カラダを温める効果のある入浴剤を使って、さらに効果を高めましょう。入浴した後にすぐに足先が冷えて眠れないという場合は、寝る直前に熱めのお湯で足浴をすることもおすすめです。

眠気は、手足から熱が放散される過程で生じます。そのため、もともと外に出す熱がカラダにない場合は、なかなか眠りにつけなくなります。

熱いお湯で足浴をして、手のひらや足の裏を温かくして、すぐに床《とこ》に入るようにすると、よい眠りの助けになります

②食材――カラダを温める食べ物

この世代は、冷たいものや生《なま》ものを食べすぎると、体調が悪くなると感じることが多くなります。冷たいものや生ものはなるべく避けて、野菜は火を通し、食事は温かいうちに食べるようにしましょう。

また、第四章で紹介した「カラダを温める食材」（一八四ページ参照）を適度に食生活のなかに取り入れましょう。山椒《さんしょ》やショウガなど漢方薬にも含まれている、カラダを温める作用がある薬味を料理に活用するのも効果的です。

③ツボ――「陰」対策

「陰」対策のツボを紹介します。

●ツボの押し方

ツボを押すときは三段階くらいで徐々に力を強くして、五秒くらい「痛いけれど気持ちいい」程度の力で押します。その後、ふたたび三段階くらいで力を抜いていきジワーッと離します。これを五回くり返します。

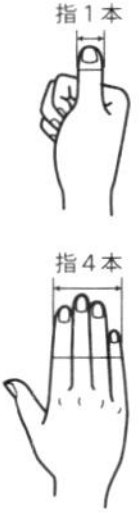
指１本
指４本

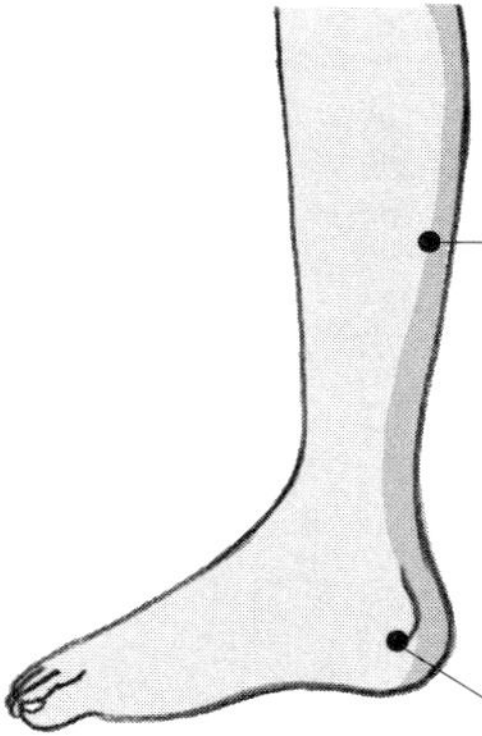
三陰交《さんいんこう》
内くるぶしから指４本分上の高さで、すねの骨の後ろ側
照海《しょうかい》
内くるぶしのてっぺんから指１本分下

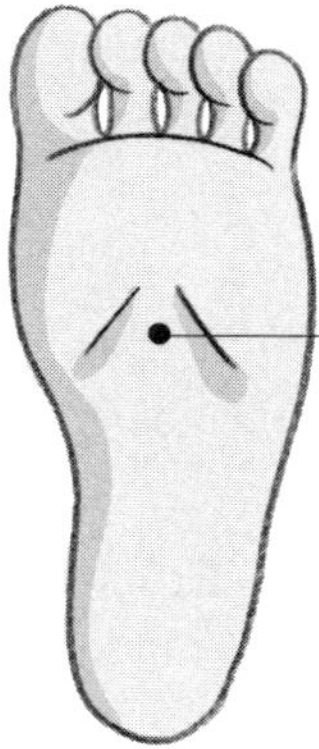
湧泉《ゆうせん》
足裏の中央よりやや上、指を内側に曲げたときにへこむところ

「虚」へのケア

不調の原因

もう一つの老化の流れの「実から虚へ」、つまり、十分に充《み》ちた状態から枯渇《こかつ》した状態への変化について説明します。

五六歳を過ぎると、食が細くなり、すぐに横になりたくなるといった「気（エネルギー）」が「虚」の状態（気虚）になるとともに、肌《はだ》のかさつきや性交痛がひどいといった、「血《けつ》（血液）」も「虚」の状態（血虚）になっていきます。

老化によって胃腸機能がおとろえると、胃がもたれたり、食べる量が減ったり、消化が悪くなっていき、エネルギーを生み出すことができなくなります。これが、「気」が体内で不足している「虚」の状態です。

一方、エネルギーが枯渇してくると、熱量が不足してきますから、体温も低くなります。つまり、前述の「陰」の状態が引き起こされるわけで、老化の二つの流れは、お互いに関係しているのです。

また、「血」が体内で不足すると、貧血のような状態となり、血液が全身に回りません。その結果、顔色が悪く、肌のツヤもなくなり、カラダ全体が乾燥してきます。膣《ちつ》についても例外ではありません。

カラダとココロのコーピング術（対処術）

①生活――規則正しく、無理をしない

●無理をしない

疲れやすい、すぐに眠くなるなど、「気虚」の場合については、まずは「腹八分目」を守り、普段から規則正しい生活習慣を身につけることです。

五六歳からは、会合で夜更かしをしたり、ゴルフで早朝に起きることがたまにある程度だとしても、エネルギーの補給や寝不足状態の解消はなかなかスムーズにいきません。いったんペースが乱れて体調を崩すと、その悪い状態が長引きや

すい年代です。

自分のカラダの声に耳を傾けて、くれぐれも無理をしないようにしてください。

●うるおい補給

「血虚」によるカラダ全体の乾燥を、漢方では「潤《じゅん》（うるおいのある状態）」から「乾《かん》（乾燥した状態）」になる、老化の特徴的な流れとしてとらえています。

顔の皮膚《ひふ》についても、自ら脂分を出すことが難しい状態なので、食事でうるおい補給をするとともに、化粧品の力を借りることも、この年代には効果的です。

②食材――胃腸にやさしく、精のつくもの

「気虚」および「血虚」のいずれにも効果があるといわれている食材としては、かぼちゃ、にんじん、キクラゲ、ナツメ、松の実、カツオ、サバ、ニシン、ハモ、ブリ、ウナギ、ホタテ、卵などがあげられます。

特に「気虚」については、「胃腸にやさしく精のつくもの」が基本です。食材では、豆類（いんげんや枝豆など）、湯葉《ゆば》、豆腐、ブロッコリー、芋類《いも》（さつまいも、山芋、じゃがいも）、ショウガ、しいたけ、鯛《たい》、タラ、ヒラメ、白魚《しらうお》、ド

ジョウなど。

また、量自体が不足している「血」をおぎなうにあたっては、ぶどうやプルーン、黒米、黒ごまや黒豆などといった色が黒い食品や、キャベツ、ほうれん草、まつたけ、マグロなどがおすすめです。

特にうるおい不足には、コラーゲンが豊富に含まれている、フカヒレや牛スジのスープなどもいいでしょう。オリーブ油やごま油などの植物油や、豆乳、ココナッツミルク、杏仁《きょうにん》、ナッツ類なども肌をうるおす作用があります。なかでもアンズの種子の杏仁（杏仁豆腐などのお菓子の材料として使うときには、「あんにん」と発音）は漢方薬にも使われています。

③ツボ——元気がわかないとき

「虚」対策のツボを紹介します。なんとなく元気がわかないときに効果的です。

●ツボの押し方

ツボを押すときは三段階くらいで徐々に力を強くして、五秒くらい「痛いけれど気持ちいい」程度の力で押します。その後、ふたたび三段階くらいで力を抜い

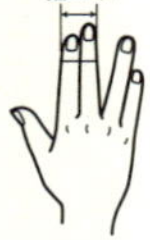

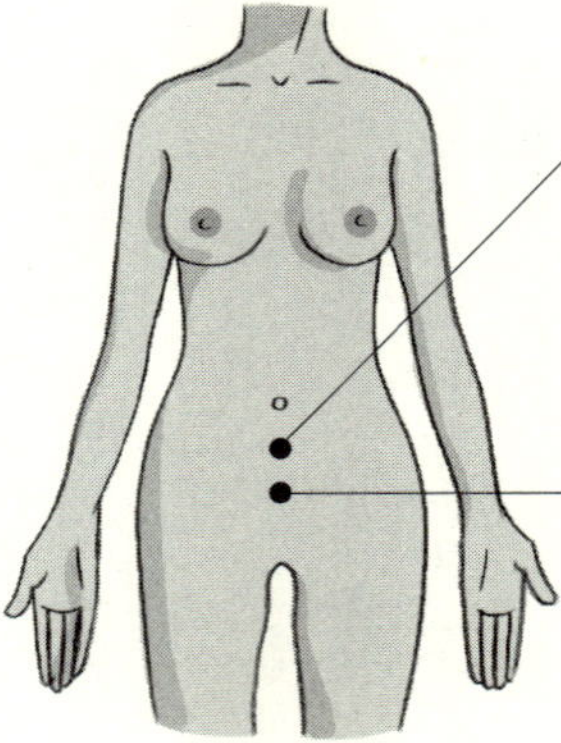

気海《きかい》

へそから指２本分下
（「関元」や「気海」のあたりは俗に「丹《たん》田《でん》」と呼ばれる）

関元《かんげん》

へそから指４本分下

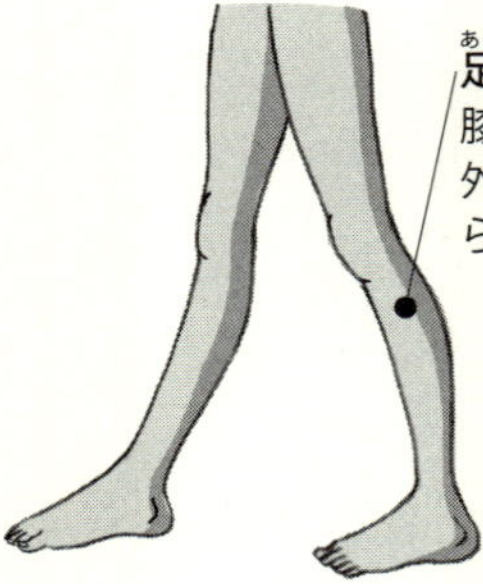

足三里《あしさんり》

膝のお皿の下の外側のくぼみから、指４本分下

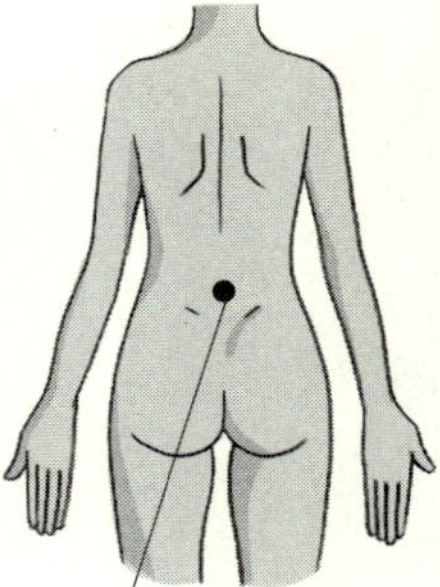

命門《めいもん》

へその真後ろあたり

ていきジワーッと離します。これを五回くり返します。

先天の気、後天の気

じつは、「気」には二種類あります。一つは、生まれもっているエネルギー「先天の気」。もう一つは、日々生まれるエネルギー「後天の気」です。

漢方では、「五臓六腑《ごぞうろっぷ》」のなかの一つ「腎《じん》」が、前者の「先天の気」にかかわりが深いといわれています。

「腎」とは、西洋医学でいう腎臓機能（心臓から送られてくる血液から余分な塩分や老廃物を濾過《ろか》して、尿《にょう》として排泄《はいせつ》する機能）のほか、カラダ全体を温めたり、水分代謝《たいしゃ》全体や生殖機能、歯や骨、呼吸などにかかわっています。

後者の「後天の気」については、同じく五臓六腑のなかの「脾《ひ》」がかかわっていると考えられています。「脾」は、西洋医学でいう脾臓《ひぞう》のことではなく、胃腸機能に加え消化機能の働き全体を指します。

老化には、これら両方の「気」が関係してくるのですが、特に五六歳からの老化対策は、「先天の気」を意識する必要があります。

「先天の気」の量は、生まれたときに、すでに決まっています。「生まれながらにして、病弱な子ども」は、先天の気がもともと少なく生まれたといえます。一方、政治家が高齢であっても、連日深夜まで会食し早朝から勉強会、地元回りなどを精力的にこなせるのは、先天の気が元来充《み》ちているからだと説明できます。

このように、生まれながらにして、個々人の「エネルギー量」に違いはありますが、若いころであれば、先天の気の大小にかかわらず、先天の気がすり減っても、後天の気をうまく補充することで、ある程度のバランスをとることが可能です。しかし、五六歳からは胃腸も弱ってきていますから、食事によって得られるエネルギーである後天の気の補充は、だんだんできなくなります。

そのため、この年代になると、①もともと備わっている先天の気をいかにムダに使わないようにするか、②すり減らしてしまった先天の気をいかにおぎなうか——が、老化の波をゆるやかにするために、大事になってきます。

別のいい方をすると、先天の気にかかわっている、「腎」の使い方および「腎」のケア次第で、同じ年齢でも「若々しく見える女性」と「老けて見える女性」という差が出てきてしまうのです。

「腎虚《じんきょ》太り」へのケア

不調の原因

前述した「腎《じん》」の機能のおとろえは、太りやすくなることにもつながります。

漢方では、みなさんに食毒《しょくどく》体質、水毒《すいどく》体質、瘀血《おけつ》体質といった体質の違いがあり、その体質別に太りやすさの違いもあると考えます。

「食毒体質」とは、脂《あぶら》っこい料理や味の濃いもの、カロリーの高いものを好み、食べ物がカラダのなかで停滞して、余分なエネルギーを体内にため込んで太るタイプです。

また「水毒体質」とは、胃腸が弱く、食べ物や飲み物をうまく消化できずにいる水太りタイプ。「瘀血体質」は、「血」の循環が悪いために、カラダのなかでつくられた熱（エネルギー）を燃焼できずに太るタイプです。

五六歳からは、どのタイプの人も、さらには、それまで太りにくかった人でさえも、老化が原因で太りやすくなります。

なぜかというと、老化の二つの流れの一つである「実《じつ》から虚《きょ》へ」の過程で、加齢による老化で「五臓」の一つで水分代謝や基礎代謝にかかわる「腎」の働きがおとろえると、老廃物をため込みやすくなり、脂肪《しぼう》が体内に滞《とどこお》るようになるからです。

漢方では、こうした加齢による老化太りを「腎虚《じんきょ》太り（「腎」の働きが弱くなることによって太ること）」と呼びます。いわゆる〝中年太り〟です。「腎虚太り」は、おなかやお尻、太股《ふともも》といった下半身に脂肪がつきやすいのが特徴です。

もう一つの老化の流れである「陽から陰へ」の移行でも、カラダ自体が冷えやすくなり、基礎代謝が落ち、摂取したエネルギーがうまく消費されずに余分な脂肪が体内にたまっていきますから、結果的に太ることをサポートすることになります。

西洋医学で説明すると、女性ホルモンの一つ、エストロゲンの減少が、老化による太りやすさにつながるといえます。

エストロゲンは、コレステロールの代謝にもかかわっていますから、閉経によってエストロゲンの分泌《ぶんぴつ》が激減することで、カラダはコレステロールをため込みやすくなります。

太るということ自体は病気ではありませんが、見た目の体形が気になることはもとより、高脂血症などの病気にもつながります。自然と太りやすくなるのは仕方ないとはいえ、なるべく太らないように意識することが、病気の予防にもつながります。

肥満が命にかかわる五六歳からこそ、「ダイエット」という発想が大事になります。

カラダとココロのコーピング術（対処術）

①生活――下半身の血行をよくする

●下半身の運動

太るのを避けようとして、翌日に疲れが残るほど激しい運動をしてはいけないのが、この年代です。体力を消耗させることは、「腎エネルギー（先天の気）」を減らすことにつながり、かえって、老化を早めてしまいかねません。ご自分の体力に合わせたエクササイズを選ぶことが大切です。

前述のように、「腎虚太り」は下半身にあらわれやすいので、下半身全体の血行をよくして、脂肪を燃焼させやすくしておくようにしましょう。開脚などのストレッチを日々おこなったり、後述のツボ押しを活用してみてください。

②食材――ネバネバ系、塩辛いもの、酸味

ダイエットといっても、カロリーを気にするあまり極端な粗食にすることはかえって逆効果です。「先天の気」をおぎなうべく、「腎」の働きを活発にする食材を選び、代謝をうながすような工夫をすべきです。黒豆や黒ごまなどの黒色の食材や、山芋やオクラなどのネバネバ食材を積極的に食事にとり入れることは、「腎」をおぎなうことにつながります。

漢方では、塩辛さが「腎」の機能を高めると考えられています。たとえば、塩辛い味の源《みなもと》である海水にかかわりのある昆布《こんぶ》やわかめ、海苔《のり》、ひじきなどの海藻《かいそう》

類や、エビ、貝類などがおすすめです。ただし、コレステロールが高いなど、医師から食事制限を受けている場合は、その指示にしたがってください。

また、甘味をコントロールすることも、「腎虚太り」対策に有効です。すぐにエネルギーになりやすい甘いものは、エネルギーが減ってきているこの世代がつい手を伸ばしたくなるのですが、漢方では、甘味をとりすぎると「腎」の働きを低下させてしまうと考えます。

甘味のとりすぎを抑制するのは、酸味です。甘いものがほしいときや、甘いものを食べすぎてしまった際には、酸味を積極的にとるようにするとよいでしょう。

実際の食事にあたって参考になるのは、甘酢です。これは、甘味の砂糖に酢を合わせていますから、「腎」の働きを低下させない組み合わせです。さらに甘酢に塩辛さのしょうゆを合わせたのが三杯酢で、海藻類のわかめを和《あ》えたものは、「腎」をおぎなう効果が高いレシピといえます。

ただ、いくらカラダにいい食事であっても、過食すれば、その効果は台なしです。「腹八分目」を心がけ、さらに同じ食事ばかりをつづけて食べずに、バランスを考えましょう。

③ツボ――「腎虚」対策／食欲コントロール

「腎虚」対策のツボと食欲をコントロールするツボを紹介します。

●ツボの押し方

ツボを押すときは三段階くらいで徐々に力を強くして、五秒くらい「痛いけれど気持ちいい」程度の力で押します。その後、ふたたび三段階くらいで力を抜いていきジワーッと離します。これを五回くり返します。

こんな病気に注意

この年代は、高血圧や高脂血症などの生活習慣病が発症しやすくなります。たとえば頭痛や、首や肩のこり、めまいや耳鳴りなどは、更年期特有の症状であるため、すでに慣れっこになってしまって放置しがちですが、これらは高血圧のときにもあらわれる自覚症状でもあります。

高血圧や高脂血症などは動脈硬化を進行させ、脳梗塞《のうこうそく》、脳出血、心筋梗塞など命にかかわる病気をまねきかねないので、気になる症状がつづいたり、だんだん

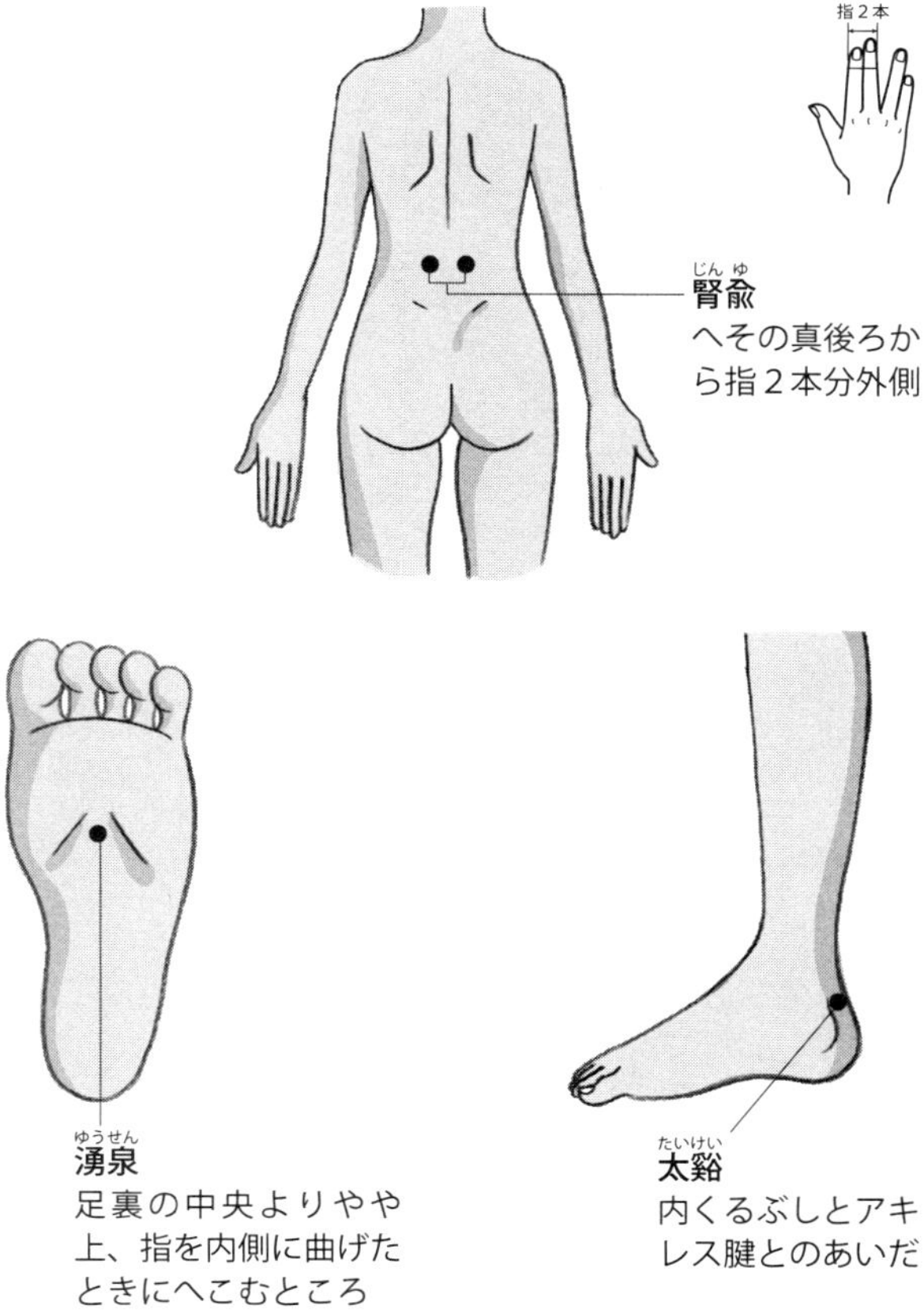
指２本
腎兪《じんゆ》
へその真後ろから指２本分外側
湧泉《ゆうせん》
足裏の中央よりやや上、指を内側に曲げたときにへこむところ
太谿《たいけい》
内くるぶしとアキレス腱とのあいだ

〈腎虚対策のツボ〉

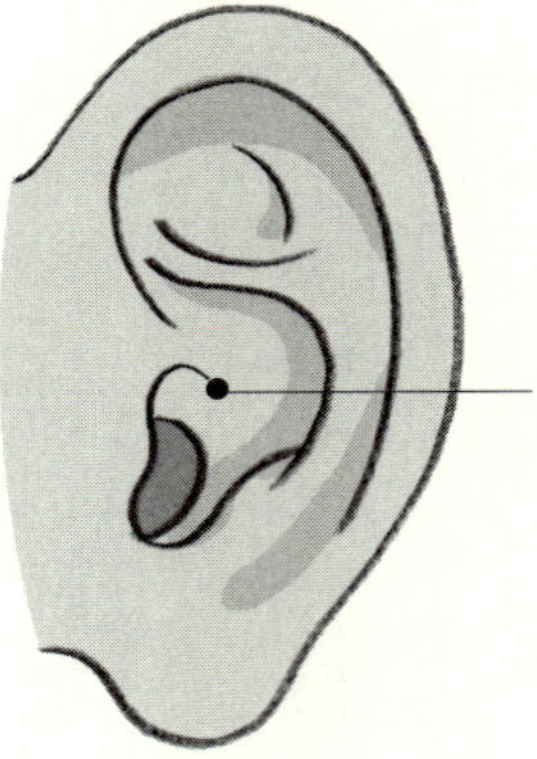

〈食欲をコントロールするツボ〉

と悪化するようであれば、医師の診察を受けることをおすすめします。

また、動悸《どうき》や胸が苦しいといった症状は、狭心症《きょうしんしょう》や心筋梗塞の疑いがあります。喉《のど》の渇《かわ》きが強いなら糖尿病といった病気が隠れている可能性もあります。

「気」は免疫《めんえき》機能にも関与しているので、加齢によって「気」が「虚」の状態になると、免疫力も低下します。そのため、悪性腫瘍《しゅよう》（ガン）にも気をつける必要があります。食が細い、胃がもたれる、疲れやすいなどといったときは、胃ガンなど消化器系の悪性腫瘍による症状の可能性もあるので要注意です。

人生の後半期に入ったといえる五六歳からは、これまでいろいろと忙しかったことから解放され、自分自身を大切にして過ごす時期でもあります。そのため、不調を「どうせ齢《とし》だから」と放っておかずに、面倒でも健康診断を定期的に受けるようにし、たとえ病気が見つかったとしても、早期発見で万全の治療を受けることで、充実した毎日を過ごしてほしいと思います。

第六章　マイナス七歳に見える一五の〝健美力〟向上法

アラフォー世代からは〝戦略〟が大切

女性のカラダは七年刻みで変化することを、第一章で紹介しました。全体的な傾向としては、それで正しいのですが、日々診察をしていると、変化にあたっては個人差がかなり大きいということも実感しています。

二〇代の患者さんは、カルテにある年齢と見た目との間にあまり差がないことが多いのですが、三〇代からの患者さんでは、年齢を経るごとに、実年齢と見た目年齢とのギャップの個人差が大きくなっていくように感じます。

みなさんも、たとえば、中学校や高校の同窓会に、卒業してから二〇年、三〇年たって参加して、同級生の変化（若々しかったり、妙に老けていたり）を感じた経験はありませんか？

特に女性は、第一章にあるように、二八歳（七の四倍）を成長のピークにして、老化がはじまると考えられています。

成長過程の場合は、仮にカラダやココロのケアを怠《おこた》っていたとしても、そもそもエネルギーがあり、リカバリー力もある世代ですから、見た目にはなかなか大きな違いが出にくいものです。

しかし、三〇代からは、年齢を経るごとに個人差が出やすく、ピークを完全にすぎた四〇歳からは、適切なケアをしているか否《いな》かで、目に見えて個人差が出てきてしまいます。

どうせなら、老けて見えるよりも、若々しく見えるようになりたくはありませんか？

四〇歳以上の年代は、世間でいうアラフォーからアラフィフ、アラカン（還暦）世代に属します。これらの世代は、適切なケアという“戦略”をもって暮らすことで、実年齢よりも若々しく見せることが可能です。そして、「見える」だけでなく、実際のココロもカラダも若々しくなれるのです。

まずは、自分のいまの実年齢があてはまる、女性の「七年ごとの変化」の一区分前、つまり実年齢よりも七歳若く見えることを目標にしてはいかがでしょうか。

あなたが四五歳なら、七の六倍の四二歳と七の七倍の四九歳のあいだにいることになります。それを、七の五倍の三五歳からの七年間の区分にいるような若々しさを取り入れる、つまりココロもカラダも「三八歳」になってみませんか、ということです。二〇代にはなれなくても、マイナス七歳なら、なんとなくできそうな感じがしてきますね。

意識すべきは「パーソナル年齢」

実年齢と見た目年齢との差が生じるカギは、「腎《じん》」の働きです。「腎」は、これまでも何度か出てきていますが、漢方でいう、人体の内臓器官の名称「五臓六腑《ごぞうろっぷ》」の一つです。

特に「腎」は、老化に大きくかかわっていて、「腎」の働きがおとろえると、顔色が悪くなり、皮膚《ひふ》に艶《つや》がなくなり、白髪が増え、眼がかすみ、全身が倦怠《けんたい》感におそわれる……などといった、いわゆる「老化症状」があらわれます。

「腎」は、親から受け継いで生まれもったエネルギー「先天の気」とも深い関係があります。そのエネルギーは、年齢を重ねるごとに自然と減少していってしまいます。ですから、七歳若返りのポイントは、まさに、この生まれもったエネルギー（腎エネルギー）をいかにムダにすり減らさないようにするか、ということに尽きるのです。

「腎」を大事にすると、外見はもとより、内面、つまりココロも若返ります。老化にともなうストレスに耐える力を身につけることが期待できるので、精神的なゆとりが出てくるのです。内面から醸《かも》し出される「若々しいオーラ」とでもいいましょうか。

私は、実年齢とは別に、見た目とココロにあらわれる年齢を「パーソナル年齢」と命名してみました。ただし、見た目だけにとらわれてしまうと、「若々しさ」ではなく、「若づくり」の方向へと行ってしまいかねません。

意識すべきは、外見とココロの両方の若返り、つまり「パーソナル年齢」を下げることです。

漢方で「自己健美力」を高める

パーソナル年齢を下げるための戦略的ケアをおこなうことは、結果的に、五年、一〇年先の健康や美しさを担保することにもなります。

実年齢よりも若々しいカラダやココロのみならず、将来の「元気」や「キレイ」までも自分自身で高められる力のことを、私は「自己健美力」と呼んでいます。

病的な症状に対しては、「自然治癒《ちゆ》力が低下している」「自己免疫《めんえき》力が弱くなっている」といったとらえ方があります。同様に、老化が原因の不調に対しては「自己健美力の低下」としてとらえるとわかりやすくなります。

加齢による老化の悩みは、病名がつくものばかりとは限りません。漢方は、たとえ病名が特定されなくても、不調があればそれを治療対象とします。このため、漢方には健康と美しさを保ち、自己健美力を低下させずに、逆に上げることで、実年齢をマイナス七歳にすることが可能な戦略的ケア、つまり意図的に腎エネルギーをすり減らさないようにするための方法がいろいろとそろっています。実年齢がマイナス七歳になる、ということは、見た目もカラダの内側も若返る、すなわちパーソナル年齢が低くなることにつながります。

漢方によって、現在から未来にわたる健康と美を自分自身で高める力をもっていてほしい、という願いを込めて、「自己健美力」を高めるための一五の戦略を、次に紹介したいと思います。

意識を変える五つのポイント

アラフォー世代からマイナス七歳をめざすにあたっては、「気合《きあい》」が必要です。「なんとなく」ケアをしていても、なかなか効果は期待できません。まずは、意識の部分から変えていくことで、そのほかの「生活」「見た目」「ココロ」の変化に相乗効果が生まれてきます。

いい方を変えると、「意識を変えるだけで、マイナス七歳が可能になる」ともいえます。考え方次第でマイナス七歳が叶《かな》えられる具体的な方法を紹介します。

1「いまの自分」を愛《いと》おしむ

「自分だけは歳《とし》をとらない」とばかりに、不調に対して無頓着《むとんちゃく》では老化を早めます。確実に年齢を重ねている事実と向き合う勇気が必要です。

勇気は、自分自身を愛《いと》おしむ気持ちから生まれます。自分を好きになるためには、自分自身をよく知っておかなくてはいけません。自分のカラダやココロの状態がうまく把握《はあく》できないときは、私の勧めるクリニックの「問診票」（二四二ページ〜参照）をチェックしてみてください。自分を客観視するための材料になります。

2 メンテナンス上手になる

パソコンも車も故障します。メンテナンスをしなければ、故障のリスクが高まります。ましてや、四〇年以上も生きてきた「生身《なまみ》」のカラダなら、悪いところがまったくないわけはありません。

問題は、不調に気づけない鈍感さや、メンテナンスをしないことです。カラダは必ずサインを出しています。それに敏感に気づき、上手にメンテナンスをおこなうことで、女性の節目である更年期《こうねんき》を、楽々と乗り切れる可能性が高まるのです。

また、私の勤めるクリニックでは、大学病院としては日本初となる「漢方養生《ようじょう》ドック」を二〇〇八年からはじめました。「だるい」「落ち込む」といった自覚症状にも着目し、検査結果を受けてのフォローアップでは個々人にあったケア（養生）法をお伝えします。こうした新たな検査を取り入れることで、カラダが発しているシグナルを早期に発見することが期待できます。

3 いまの不調の原因について考える

エイジング情報があふれ、情報にふりまわされてしまう人が増えています。自分に合っていないエイジング対策は、効果が薄いばかりか逆効果なことも。

漢方では、老化の危険因子を、気候の変化（外因）と感情の変化（内因）、夜更かしや暴飲暴食などの生活習慣の乱れ（不内外因）の三つに分類しています。

夜更かしが原因（不内外因）で頭痛や肌荒れがあるときに、鎮痛剤や美容クリームで対処しても自己健美力は上がりません。何が原因で不調なのか、を知ることからはじめます。

4 「気」を出し惜しみする

カラダは、季節の変化に対して適用しようと「気（エネルギー）」を使います。ある意味、季節の変わり目に体調を崩すのは自然の摂理《せつり》。アラフォー世代からは、女性ホルモンの減少といった体内変化への適用にも「気」が使われるので、不調の要因は増えていく一方です。

それなのに「そんなはずはない」と、不調を押して動き回れば「気」はさらに減っていき、自己健美力を高めるだけの「気」が残りません。「気」は、思いっきり出し惜しみするのが基本です。

5「エレガンス」を追求する

メタボ体形は病気のリスクを高めるので、患者さんには適正体重になるようすすめます。しかし、「腎虚《じんきょ》太り（老化太り）」を気にして短期間で急激にやせるのは、カラダがその変化に速やかに対応できず、逆に不調を引き起こす原因になることも。突然、過酷な運動をしたり、ストイックに食事制限をすることも同様です。

「変化」に対しては、余裕をもって対応するエレガントさを術として身につけるべきです。「急《せ》いては事を仕損じる」です。

生活を変える三つのポイント

四〇代からの年代が意識すべき三〇代までとの違いの一つに、生活習慣があります。三〇代までは、たとえ夜更かしをしても、暴飲暴食をしても、根《こん》を詰めても、まだ回復力が十分にあるので、パーソナル年齢の差となってあらわれるほどの大きな差にはなりにくいものです。

三〇年以上つづけてきた生活習慣を変えるのは、なかなか難しいことかもしれませんが、少し生活を変えてみるだけで自己健美力を高められる具体的な方法を集めました。

6 肩の力を少し抜いてみる

ココロもカラダもピーク時の二〇代や少し落ちた程度の三〇代までは、ある意味、人生を突っ走ってきたともいえます。プチ不調で立ち止まることをせずに、深刻な不調になって、やっと体調の悪さに気づくことが多いものです。

逆に四〇代からは、突っ走ること自体が心身ともに厳しい年代だからこそ、意識的に肩の力を少し抜いて、自分の心身の変化に耳を傾け、ちょっとした不調の段階で立ち止まる習慣をつけてみてください。

7 嗜《し》好《こう》の変化に敏感になる

患者さんのなかには、「疲れるとジャンクフードがむしょうに食べたくなる」「気づくと、コーヒーを普段の倍の量も飲んでいた」など、体調不良とともに嗜《し》好《こう》の変化を訴える人が少なくありません。

嗜好が普段と違うことは、カラダのバランスが崩れていることのあらわれともいえます。バランスがととのっている状態からずれていることに気づくのが早ければ早いほど、自己健美力は下がりません。

8 食事は賢く頭で食べる

古くから中国には、食材のもつ効果——カラダを冷やしたり温めたり、「気」をおぎなったりめぐらしたり——を活用した「薬膳《やくぜん》」の考えが伝わっています。長年蓄積された「知恵」を日常に取り入れない手はありません。

「冷え」が気になるときに食べる野菜は、わざわざカラダを冷やすといわれるトマトやなすよりも、カラダを温めるかぼちゃやショウガなどにしたほうが、自己健美力は確実に上がります。健康と美容はまず食事から。「健美・食同源」です。

見た目を変える三つのポイント

外見とココロの両方を合わせた「パーソナル年齢」のうち、変化がわかりやすいのは、「見た目」です。しかも、アラフォー世代からは、適切なケアをすればするほど結果が出るので、ケアをした人としていない人とでは、顕著《けんちょ》な差がつきやすいともいえます。

漢方の知恵に基づく、ちょっとしたコツを覚えて、まずは見た目の年齢からマイナス七歳に挑戦してみてはどうでしょうか。

9 胃腸を強くして、フェイスラインを引き締める

漢方では、「皮膚は内臓の鏡」だと考えられています。内臓の調子が皮膚にあらわれる、という意味です。わかりやすいのは胃腸。胃腸が弱いと、いくら食べても栄養が体内に行き渡らないので、全身の筋肉が弱くなります。

顔の肌《はだ》や筋肉も例外ではありません。なかでも、あごはたるみやすいので、胃腸の弱さがすぐにフェイスラインにあらわれます。

ただでさえ消化吸収の機能がおとろえていくアラフォー世代からは、「もうちょっと食べたい」というところでやめておく意志の強さが必要です。「腎虚太り」の防止にもつながります。

10 白さだけでなく明度も意識する

「色の白いは七難隠す」といい、日本人のお肌のケアは「美白」がブームです。しかし、年齢を経るごとに、血液の流れが滞《とどこお》ったり血の量自体が不足して、シミやくすみといったトラブルも出てくるものです。美白だけでなく、明度や透明度を上げることも大切です。

顔マッサージのほか、足浴や運動などで全身の血液の流れをよくすることが効果的です。さらに、血のめぐりや血をおぎなう働きのある食材を食生活に取り入れ、カラダの中からもケアしましょう。

11 お風呂上がりにはボディーマッサージを欠かさない

カラダにたまった余分な水分や老廃物を排出する役目のあるリンパ液が滞ると、

むくみやこり、疲労、体調不良を引き起こし、免疫力の低下にもつながります。リンパ液が合流するリンパ筋に向かって、一定方向にマッサージしましょう。専用のオイルやジェル、クリームを塗《ぬ》っておこなうと、皮膚の乾燥対策にもなります。

あわせて各章のケア方法で紹介したツボ刺激や、ストレッチ体操をすれば、なお効果が高いでしょう。

ココロを変える四つのポイント

私が勤務しているクリニックの元所長、代田《しろた》文彦《ふみひこ》先生（故人）は、著書のなかで「東洋医学は心の不調を治すことが得意である」と記《しる》しています。これは、漢方の「心身一如《しんしんいちにょ》」の対処法、つまり「ココロとカラダは一つである」という考え方で対処することに大きく拠《よ》っていると思います。

漢方はココロの不調についても、ココロだけを診《み》るのではありません。ココロとカラダを合わせて患者さんの全体像を診ます。

自己健美力も、外見とココロのバランスが大切です。

12 ワクワク・ドキドキで、「血」のめぐりを促進

「喜ぶ」という感情は、血液循環や覚醒《かくせい》・睡眠リズムの調整にかかわる「五臓」の「心《しん》」とかかわっています。適度な喜びは、ココロのマイナス七歳のためには必要なことです。

映画や小説、スポーツ、コンサートなどを通じて、ワクワク・ドキドキする機会をつくるのも一案です。日常と非日常の「オン」と「オフ」の切り替えにもなります。ただし性生活に関しては、「気」や「血」を消耗《しょうもう》させ、かえって老化を早めるので、ペースダウンを。

13 過度な感情にふりまわされない

前述の「ワクワク・ドキドキで、『血』のめぐりを促進」にあるように、漢方では感情と「五臓」とのかかわりが深いと考えられています。「喜ぶ」に加え、「怒り」「思い悩む」「悲しむ」「憂《うれ》える」「驚く」「恐れる」の七つの感情（七情《しちじょう》）は、いずれも度が過ぎると、関係するそれぞれの臓にダメージを与え、不調の原

因となり、老化を早めることにもなります。

どんな場面でも、「七情」を自由自在にコントロールできる術を身につけることで、「気」をスムーズに働かせることができます。

14 鏡を取り出し笑顔を映す

気分が落ち込んだり、パニックになっているときには、鏡を取り出し、「ニコッ」と鏡に向かって笑いかけてみましょう。鏡を取り出すことで一呼吸置いて落ち着くことができます。鏡を見ることで我《われ》に返ります。そして笑顔をつくることで明るい気持ちになれます。

笑うことは、自律神経を通じて脳の活性化にもかかわるといわれています。こわばった笑顔ではなく、いい笑顔ができるよう、日ごろから鏡を見る回数を増やすよう意識して。

15 筋肉をゆるめると脳もリラックスする

前述の代田先生によると、「ストレスで弱っている人やうつ病の人はほぼ全員、胸鎖乳突筋《きょうさにゅうとつきん》（顔を横に向けたときに首筋に浮き出る筋肉）のあたりが凝《こ》っているはず」とのこと。ココロ（脳）の緊張によって筋肉も緊張することが原因です。

ココロが疲れたな、と思ったら、首の後ろからもみほぐし、首の横から鎖骨《さこつ》にかけてマッサージしたり、膻中《だんちゅう》（左右の乳首を結ぶ線の中央。一四八ページ参照）をホットタオルで温めたり、押したりすると気持ちよくなると覚えておいてください。

ポジティブ・エイジングでいこう

「ケアすることが大事」といわれても、疲れやすかったり、体調がすぐれない日々がつづくと、「ケアするどころではない」と、面倒に感じることもあるでしょう。

しかし、これは「ニワトリが先か、卵が先か」の議論と似ていて、ケアしないから疲れやすくなり、さらにケアをしないでいると、いっそう体調が悪くなる——という悪循環におちいってしまいます。

そのスパイラルを断ち切るためにも、ここで紹介した一五の方法をまずは、日常生活に取り入れてみましょう。マイナス七歳の若返りをめざすだけでなく、将来の健康と美しさをも加味した方法ばかりです。

一五の方法の基本となっている考え方は、「食事」「運動」「睡眠」「感情」のコントロールです。食事と運動、感情については、すでに触れていますので割愛《かつあい》しますが、睡眠については、加齢による老化によって、「体力がないと眠れなくなる」ということを覚えておいてください。

体力といっても、何キロも走ったりする体力ではなく、脳を含む内臓の働きが順調で、「気《き》・血《けつ》・水《すい》」のバランスがとれている状態を保つのに必要なエネルギーのことです。

漢方では、高齢期の不眠は、「気」や「血」のおとろえが原因で、特に「気」の消耗によってバランスを崩し、結果的に眠れなくなる、と考えられています。過激な運動は「気」をすり減らし、かえって不眠を助長するので気をつけてください。

ここまで記してきたことの要約にもなりますが、一年ごとに一歳年をとるという「加齢」の事実は避けられませんが、老化の速度や程度をコントロールすることは、自分自身のケア次第で、いくつになっても可能です。むしろ、年齢を経たほうが、ケアによるコントロールの効果が期待できる面もあります。

そこで私はかねてから、加齢に対して「アンチ（抵抗）」ではなく、適切なケアを取り入れ、「ポジティブ（積極的）」に対応することで、加齢にともなう老化の速度を遅くし、程度を軽減し、ひいては寿命《じゅみょう》を全《まっと》うできることにつながるという考え方、「ポジティブ・エイジング」を提唱しています。

「ポジティブに年齢を重ねよう！」という、「気の持ちよう」に拠るところが大きいともいえます。

この本を読んで、これから老化と向き合わざるをえない四〇歳からの難しい年代にあっても、自己健美力を高めるためのケアをする前向きな意欲を持っていただければ、このうえなく嬉しい限りです。

問　診　表

東京女子医科大学東洋医学研究所　クリニック

漢方医学では自覚症状がきわめて大切な情報となります。
お手数ですが是非ご協力下さい。(書きたくないところは無理に書かなくて結構です)

氏名＿＿＿＿＿＿＿＿＿＿ 年齢＿＿＿＿歳（男・女）職業＿＿＿＿＿＿＿＿

身長＿＿＿＿cm　体重＿＿＿＿kg　体温＿＿＿＿℃

＊東洋医学研究所をどのようにしてお知りになりましたか？
他院からの紹介／インターネット／雑誌・テレビなど／知人からの紹介／バスアナウンス
その他（　　　　　　　　　　　　　　　　　　　　　　　　）

❶もっともお困りのことは、どのようなことでしょうか？

……………………………………………………

……………………………………………………

❷それらの病気や症状は、いつから起こり、どのような経過をとっていますか？

……………………………………………………

……………………………………………………

❷-2 その症状はどのような時に悪くなりますか？(季節、天候、時間帯、生理との関連、その他)

……………………………………………………

❸現在医療機関におかかりですか？

診断名 ……………………………………………………

……………………………………………………

薬品名 ……………………………………………………

……………………………………………………

❹次の質問にお答え下さい(該当する症状に○をしてください)

1) 食欲　(良い・普通・低下・ない・自分で制限している)

2) 睡眠　(良い・寝つきが悪い・眠りが浅い・よく目が覚める・よく夢をみる)

3) 便＿＿＿回／日　便通（普通・便秘・下痢・下痢と便秘が交互にくる)
便の性状（普通・水様・泥状・軟便・硬くつながっている・コロコロ便・すっきりしない)
残便感（なし・あり）　腹痛（なし・あり）　腹のはり（なし・あり)
腹にガスがたまる（なし・あり）　下剤の服用(なし・あり)　下剤での腹痛(なし・あり)

4) 尿＿＿＿回／日　夜寝てからトイレに起きる　なし・あり（＿＿＿回)
尿の色(普通・薄い・濃い)　残尿感(なし・あり)　排尿時痛(なし・あり)

5) 月経（なし・あり）　初潮 ＿＿＿歳　閉経 ＿＿＿歳

最終月経 ＿＿＿月＿＿＿日から　月経期間（＿＿＿日間）

月経周期（順調｛＿＿＿日間｝・遅れる・早まる・一定しない）

月経痛（なし・月経開始前・前半・後半）　鎮痛剤の服用（なし・あり）

月経量（普通・少ない・多い）　不正出血（なし・あり）　おりもの（普通・少ない・多い）

月経に関連した不調（なし・月経開始前・月経中・その他の時期）

6) 妊娠・出産歴　妊娠＿＿＿回・出産＿＿＿回・自然流産＿＿＿回・人工流産＿＿＿回

❺現在の症状、ふだんの体質傾向についてお答えください。（該当する症状に○、著しく該当する場合は◎をつけてください）

暑がり／寒がり／冷える（全身・手・足・腹・腰・背・その他）／のぼせ／冷えのぼせ／眠気が強い
風邪をひきやすい／疲れやすい（全身・足・腕・その他）／体が重い（全身・腰・膝・足・腕・その他）
だるい（全身・腰・足・腕・その他）／力が入らない（全身・腰・膝・足・腕・その他）
汗をかきやすい（全身・頭・上半身・手のひら・足の裏・その他）／汗が出ない／寝汗
悪寒（さむけ）／悪風（風に当たると不快）／発熱／微熱／熱感（熱っぽい）／肥満／やせ（太れない）
体重増加／体重減少／過食／拒食／水分をよくとる／浮腫（むくみ）／リンパ浮腫／リンパ節腫脹
レイノー現象／しこり（乳房・その他）／身体の不快感・違和感／黄疸／くすぐったがり

不安感／焦燥感／無気力／ゆううつ感／朝起きるのがつらい／イライラする／怒りっぽい
気分障害（気分にムラがある）／夜泣き／歯ぎしり／神経過敏（驚きやすい）／忘れっぽい／記憶障害
意識障害（もうろうとする）／失神／幻覚／においが気になる

頭痛（ズキズキ・キリキリ・しめつけられる・その他）／頭重／めまい（回転性・非回転性）／立ちくらみ／ふらつき
車酔いしやすい／発作性の発汗／発作性の熱感（ホットフラッシュ）／知覚麻痺（触れても感じない）
知覚異常（ムズムズなどの異常感覚）／知覚過敏／ふるえ／ひきつり／けいれん／運動麻痺（体が動かない）
顔面神経麻痺／歩行困難／足のもつれ／足があがりにくい／つまずきやすい／帯状疱疹後の痛み

胸が苦しい（圧迫感・しめつけ感・つまった感じ・もやもやした感じ・しぼるような・重苦しい・鈍痛・その他）
胸が痛い／不整脈（脈の乱れ）／動悸（拍動を感じる）／静脈瘤

咳（空咳・痰がからむ）／呼吸困難（安静時・運動時）／痰（水のような・粘っこい・膿のような）／血痰
喀血／息切れ／起座呼吸（座っていないと苦しい）／チアノーゼ

食後に眠気やだるさを感じる／食べ過ぎると胃腸の調子が悪くなる／すぐ下痢をする／げっぷ／嘔吐／吐血
少し食べると腹が張って食べられない／呑気症（空気を飲んでしまう）／胸焼け／悪心・吐き気
胃酸があがってくる／胃もたれ／胃の不快感／食べ物が胸につかえる／腹痛（上腹・下腹・移動性）
季肋部（肋骨の一番下あたり）の痛み／季肋部が苦しい／腹がゴロゴロする／放屁（おなら）
便意を頻回に催す／血便／下血／痔／脱肛／肛門痛

眼痛／視力低下／目の疲れ／目のかすみ／目の充血／目のかゆみ／目の乾燥／まぶしい
目のごろごろ感／目のヒリヒリ感／目やに／眼瞼下垂／複視（物が二重に見える）／視野狭窄

✾耳鳴／頭鳴／耳閉感／難聴／耳だれ／くしゃみ／鼻汁（水のような・粘っこい・膿のような）／鼻づまり
鼻が重い／鼻の奥の乾燥／後鼻漏（鼻汁がのどに落ちる）／鼻出血／いびき／においがわからない
味がしない／味がおかしい／くちびるが乾く／口渇（水を飲みたい）／口乾（口をしめらせたい）
口の苦味・粘つき／口臭／口内炎／しみる（舌・口腔内・唇）／舌痛／歯痛／歯ぐきの痛み／唾液分泌低下
嚥下困難／のどの痛み／のどのイガイガ／のどの奥の乾燥／のどのつまった感じ／しゃっくり／声かすれ

✾発疹・湿疹／にきび／アトピー性皮膚炎／じんましん／しもやけ／肌荒れ／皮膚の乾燥
皮膚のかゆみ／皮膚が脂っぽい／色素沈着（しみ）／脱色／目のくま／あざが出来やすい
皮下出血／苔癬／毛が濃い／白毛（毛が白い）／脱毛（円形・全般に抜ける）／ふけ／いぼ
爪がもろい／爪の異常／手術の傷あとの痛み／皮膚が化膿しやすい／ケロイドになりやすい

✾痛み（腰・肩・背・ひざ・腕・手指・もも・足・その他）／こわばり（手指・その他）／こり（肩・背・首筋・腰・その他）
脹れ（ひざ・ひじ・手首・その他）／しびれ（腕・手指・もも・足・その他）／ほてり（手のひら・足の裏・その他）
神経痛／筋肉痛／足がつる／筋力低下／間欠性跛行／運動障害（運動に制限がある）／打撲

✾不妊／胎位異常／子宮脱／性交痛／膣の乾燥／乳房の張り／帯下の異常（血性・膿性・その他）

✾頻尿（昼間）／夜間頻尿／尿失禁／夜尿症／尿がにごる／血尿／尿量減少／水を飲む割に尿が少ない
すっきりと尿が出ない／尿閉（尿が出ない）／性機能減退／会陰部（股間）の不快感／会陰部痛／睾丸痛

✺今までの問診表に○を付けた症状のなかで、特に気になる症状を 順に（　　）内に記入し、
その症状の出現する頻度、および程度の 両方 に○をつけてください。

記入例：（ 頭痛・ズキズキ ） 頻度： 1まれに　2ときどき　(3ほぼいつも)　4いつも
程度： 1わずかに　2すこし　3かなり　(4非常に)

1（　　　　　　　　）頻度：1まれに　2ときどき　3ほぼいつも　4いつも
程度：1わずかに　2すこし　3かなり　4非常に

2（　　　　　　　　）頻度：1まれに　2ときどき　3ほぼいつも　4いつも
程度：1わずかに　2すこし　3かなり　4非常に

3（　　　　　　　　）頻度：1まれに　2ときどき　3ほぼいつも　4いつも
程度：1わずかに　2すこし　3かなり　4非常に

4（　　　　　　　　）頻度：1まれに　2ときどき　3ほぼいつも　4いつも
程度：1わずかに　2すこし　3かなり　4非常に

5（　　　　　　　　）頻度：1まれに　2ときどき　3ほぼいつも　4いつも
程度：1わずかに　2すこし　3かなり　4非常に

6（　　　　　　　　）頻度：1まれに　2ときどき　3ほぼいつも　4いつも
程度：1わずかに　2すこし　3かなり　4非常に

7（　　　　　　　　）頻度：1まれに　2ときどき　3ほぼいつも　4いつも
程度：1わずかに　2すこし　3かなり　4非常に

8（　　　　　　　　）頻度：1まれに　2ときどき　3ほぼいつも　4いつも
程度：1わずかに　2すこし　3かなり　4非常に

❻ご家族・血縁についてお伺いします（同居の方には◎を付けてください）

父方・祖父（健康・病気・死亡）（病名：　　　　　　　）
父方・祖母（健康・病気・死亡）（病名：　　　　　　　）
母方・祖父（健康・病気・死亡）（病名：　　　　　　　）
母方・祖母（健康・病気・死亡）（病名：　　　　　　　）
父　　　　（健康・病気・死亡）（病名：　　　　　　　）
母　　　　（健康・病気・死亡）（病名：　　　　　　　）
兄弟姉妹（兄・姉・妹・弟）（健康・病気・死亡）（病名：　　　　　　　）
兄弟姉妹（兄・姉・妹・弟）（健康・病気・死亡）（病名：　　　　　　　）
兄弟姉妹（兄・姉・妹・弟）（健康・病気・死亡）（病名：　　　　　　　）
配偶者　（健康・病気・死亡）（病名：　　　　　　　）
子供（男・女）（健康・病気・死亡）（病名：　　　　　　　）
子供（男・女）（健康・病気・死亡）（病名：　　　　　　　）
子供（男・女）（健康・病気・死亡）（病名：　　　　　　　）

❼生活習慣についてお伺いします

- 飲酒歴　開始年齢＿＿＿＿歳　中止年齢＿＿＿＿歳
  過去の飲酒歴　なし・あり　飲酒量＿＿＿＿合／日
  現在の飲酒歴　なし・あり　飲酒量＿＿＿＿合／日
- 喫煙歴　開始年齢＿＿＿＿歳　中止年齢＿＿＿＿歳
  過去の喫煙歴　なし・あり　喫煙量＿＿＿＿本／日
  現在の喫煙歴　なし・あり　喫煙量＿＿＿＿本／日
- 甘いもの好き・辛いもの好き・塩辛いもの好き・肉が好き

❽今までにかかった病気などについてお伺いします

- 入院歴　＿＿＿＿歳頃（病名：　　　　　　　）手術　なし・あり
  ＿＿＿＿歳頃（病名：　　　　　　　）手術　なし・あり
  ＿＿＿＿歳頃（病名：　　　　　　　）手術　なし・あり
- 通院歴　＿＿＿＿歳頃（病名：　　　　　　　）手術　なし・あり
  ＿＿＿＿歳頃（病名：　　　　　　　）手術　なし・あり
  ＿＿＿＿歳頃（病名：　　　　　　　）手術　なし・あり
- 輸血歴　なし・あり　＿＿＿＿歳　　黄疸　なし・あり　＿＿＿＿歳
- 薬物アレルギー　なし・あり（薬品名：　　　　　　　）

❾その他、気になる症状などがあればお書き下さい。

…………………………………………
…………………………………………
…………………………………………

ご協力ありがとうございました

参考文献

岡本清孝主編ほか『薬膳教本—薬膳師への登竜門』柴田書店イータリンク、二〇〇二
貝原益軒原著、松宮光伸訳註『口語養生訓』日本評論社、二〇〇〇
木村容子『漢方で健康美人になる20の方法』実業之日本社、二〇〇五
木村容子『漢方の知恵でポジティブ・エイジング』NHK出版生活人新書、二〇〇八
佐藤弘『漢方治療ハンドブック』南江堂、一九九九
代田文彦『もう「大病院」には頼らない—東洋医学であっけないほど「痛み」を癒す』講談社ソフィアブックス、一九九八
代田文彦『お医者さんがすすめるツボ快癒術』講談社ソフィアブックス、二〇〇二
二宮文乃『季節と皮膚の病気』ドクターフォーラム出版会、二〇〇四
日本更年期医学会編『更年期医療ガイドブック』金原出版、二〇〇八

本書は当文庫のための書き下ろしです。

木村容子

福島県に生まれる。お茶の水女子大学を卒業後、中央官庁入省（国家公務員I種）。英国オックスフォード大学大学院に留学中、漢方に出会う。帰国後、退職して東海大学医学部に学士入学。二〇〇二年から東京女子医科大学附属東洋医学研究所に勤務。二〇〇八年より日本初の「漢方養生ドック」をはじめる。東京女子医科大学東洋医学研究所副所長、講師。医学博士。内科学会認定医。東洋医学会専門医。

著書には『漢方で健康美人になる20の方法』（実業之日本社）、『漢方の知恵でポジティブ・エイジング』（NHK出版生活人新書）がある。

女《おんな》40歳《さい》からの「不調《ふちょう》」を感《かん》じたら読《よ》む本《ほん》

カラダとココロの漢方《かんぽう》医学《いがく》

2010年4月5日　第1刷発行
2010年6月21日　第3刷発行

著者　木村容子《きむらようこ》

発行所　株式会社静山社《せいざんしゃ》

編集・制作　株式会社さくら舎
東京都千代田区九段北一-一五-一五　〒一〇二-〇〇七三
電話（営業）〇三-五二一〇-七二二一
（編集）〇三-五二一一-六四八〇
http://www.sayzansha.com

装画・本文イラスト　岡本典子
ブックデザイン　石間　淳
本文組版　朝日メディアインターナショナル株式会社
印刷・製本　凸版印刷株式会社

ISBN978-4-86389-038-1　Printed in Japan

静山社文庫の好評既刊

＊は書き下ろし、オリジナル、新編集

＊大下英治
吉田茂VS鳩山一郎
昭和政権暗闘史 一巻

吉田茂と鳩山一郎。宿命のライバルによる権力奪取の死闘がはじまった！ 新たな視点で昭和の政権闘争の光と闇を描くシリーズ刊行開始！

800円
A-お-1-1

＊大下英治
岸信介VS大野伴睦
昭和政権暗闘史 二巻

親米保守のリーダー岸信介は安保改正を掲げ大野伴睦への禅譲を密約。抵抗勢力の暗躍。合従連衡。政権抗争の行方は――。シリーズ第二弾！

840円
A-お-1-2

＊大下英治
池田勇人VS佐藤栄作
昭和政権暗闘史 三巻

経済成長を誇る池田勇人と吉田学校のライバル佐藤栄作が全面衝突。派閥工作、金権選挙、沖縄返還密約。総力戦の攻防を描く第三弾!!

840円
A-お-1-3

＊木暮太一
世界一わかりやすいミクロの経済学
超初心者のための入門書

値段はどうやって決まる？ なぜバーゲンするの？ 会社がつぶれる理由は？ そもそもお金って何？――楽しく読める経済学の入門書！

740円
A-こ-1-1

＊星亮一
坂本龍馬 その偽《いつわ》りと真実
なぜ、暗殺されなければならなかったのか

浪人にして英雄！ 龍馬は幕末動乱の時代に本当のところ何をやったか。その孤独と苦悩を明らかにし、誰も書かなかった「虚と実」に迫る！

680円
A-ほ-1-1

定価は税込(5%)です。定価は変更することがあります。

静山社文庫の好評既刊

＊は書き下ろし、オリジナル、新編集

＊立川談志
談志の落語 一
立川流家元が全編書いた落語集。「ガマの油」「やかん」「風呂敷」「夢金」「明烏」「短命」他12席を収録。全作品に家元の落語家論付き！

940円
C-た-1-1

＊立川談志
談志の落語 二
立川流家元が全編書いた落語集、第2弾。「洒落小町」「堪忍袋」「万病円」「勘定板」他12席を収録。全作品に家元の落語家論付き！

940円
C-た-1-2

＊立川談志
談志の落語 三
立川流家元が全編書いた大好評シリーズ第3弾。「木乃伊とり」「花見の仇討ち」「芝浜」他12席を収録。全作品に家元の落語家論付き！

940円
C-た-1-3

＊立川談志
談志の落語 四
立川流家元が全編書いた大好評シリーズ第4弾。「幇間腹」「ねずみ穴」「死神」「黄金餅」他12席を収録。全作品に家元の落語家論付き！

940円
C-た-1-4

＊J.K.ローリング
＋L.フレーザー
松岡佑子・訳
ハリー・ポッター裏話
世界四億五千万部を販売、空前のベストセラー『ハリー・ポッター』。登場人物にモデルはいるのか？　作者が語る創作の秘密、唯一の本！

600円
C-ろ-1-1

定価は税込（5%）です。定価は変更することがあります。